SECRETOS DE DOS CIUDADES MAYAS
SECRETS OF TWO MAYA CITIES

COPAN y & TIKAL

COPAN & TIKAL

SECRETS OF TWO MAYA CITIES

SECRETOS DE DOS CIUDADES MAYAS

RICARDO AGURCIA FASQUELLE   JUAN ANTONIO VALDES

SECRETOS DE DOS CIUDADES MAYAS
SECRETS OF TWO MAYA CITIES

COPAN y& TIKAL

Prefacio/Preface: William L. Fash

Fotografías /Photographs: David W. Beyl y/and Harold Schwank

Traducción al inglés/Translation: Gisella Camoriano

Diseño y obra al cuidado de/Book designed and produced by
CENTRO EDITORIAL S. R. L., San Pedro Sula, Honduras.

Dirección de proyecto editorial/Editorial Project Directors: Alberto Galeano B., y/and Ricardo Agurcia F. con asistencia de/and assistance of Luis F. Samayoa D.
Editor: Julio Escoto, con asistencia de/assisted by Julio Guillermo Escoto C. y/and Flor Alvergue.

Separaciones de color /Color separations: MEGACOLOR, Honduras.

Impreso por/Printed by La Nación, S. A. San José, Costa Rica

Tipos en portada/Cover fonts: Onyx 28; Parisian 30; Hobo 65; Old English 48.
Texto/Text: New Century y/and Palatino 11.

972.015
A284s

Agurcia Fasquelle, Ricardo
    Secretos de dos ciudades mayas : Copán y Tikal = Secrets of two maya cities :Copán y Tikal / Ricardo Agurcia Fasquelle y Juan Antonio Valdés. -- 1a ed. -- San José, C.R. : La Nación, 1994.

    Contiene el texto en español e inglés.
    ISBN 9977-9940-5-6

    1. Mayas - Arqueología. 2. Copán. 3. Tikal. I. Valdés, Juan Antonio. II. Título

IMPRESO EN COSTA RICA
PRINTED IN COSTA RICA

10 9 8 7 6 5 4 3 2

Contenido Contents

*C*uando en 1993 se inició el proyecto editorial de esta obra —**SECRETOS DE DOS CIUDADES MAYAS: COPAN Y TIKAL**—nuestra ambición era la de rescatar para el conocimiento de la posteridad los hechos más relevantes acaecidos en ambas urbes de nuestra más milenaria cultura, y poder así ofrecerlos como un aporte de **CREDOMATIC** a los pueblos que gestaron en el seno de su pasada historia tan trascendental civilización.

Con la colaboración de un equipo humano de alta sensibilidad y dominio profesional, constituido por arqueólogos, fotógrafos y editores especializados, el libro que hoy dedicamos a las naciones del mundo fue transformándose y creciendo, desde ser solamente una obra reproductora de las bellezas y misterios de Tikal y Copán hasta volverse reveladora de los hallazgos arqueológicos más recientes ocurridos en el ámbito de la comunidad Maya. **SECRETOS DE DOS CIUDADES MAYAS: COPAN Y TIKAL** es, así, el más actualizado documento del estado de conocimientos hasta hoy alcanzado en el marco de las prospecciones e investigaciones llevadas a cabo en torno a los Mayas en América Central.

Con su publicación aspiramos a fortalecer los hilos de orgullo patrio que nos sostienen atados a nuestra más ancestral identidad nacional y regional. Los Mayas —su pensamiento, su ciencia, su visión de mundo y su aproximación a las grandes fronteras existenciales de la vida y de la muerte— fueron en su momento el

*W*hen the project to publish this book —**SECRETS OF TWO MAYA CITIES: COPAN AND TIKAL** — was begun in 1993, our goal was to salvage, for posterity, the most relevant events of our millenary culture which took place in these two cities, presenting them as a contribution of **CREDOMATIC** to the people whose glorious predecessors begot such a remarkable civilization.

With the collaboration of a highly cognizant professional team made up of archaelogists, photographers and specialized editors, the book which we now dedicate to the nations of the world metamorphosed from a mere reproduction of the charm and mysteries of Copán and Tikal to a revelation of the most recent archaelogical discoveries related to the Maya community.

SECRETS OF TWO MAYA CITIES: COPAN AND TIKAL is thus a document which contains the most up-to-date information available, drawn from the most recent investigations of the Maya civilization in Central America.

With this publication we hope to strengthen the threads of ancestral pride which bind us to our ancient national and regional identity.

The Maya —their reasoning, their science, their vision of the world and their existentialist beliefs in life and death— were the bonding seal which permeated the course of men in Mesoamerica for centuries.

Even though they never constituted themselves into a single nation, and although they distanced themselves from each other in their quest for power or territorial domain, it

gran cemento unitivo que permeó el curso de los hombres de Mesoamérica durante siglos. Aun cuando no llegaran a constituir una sólida nación, y aunque en etapas diversas de su trayectoria humana estuvieran distanciados por la conquista de las glorias del poder o del dominio territorial, es innegable que su huella de garra de jaguar impregnó todo un segmento de nuestro pasado y dejó para la eternidad el ansia de su búsqueda de la verdad, su interrogación en torno a los enigmas del universo, su ambición astronómica y matemática que aún sorprende al pensamiento moderno, así como su persistente y gloriosa imagen de la vida escenificada en sus voluminosos monolitos, en sus majestuosas arquitecturas o en la filigrana maravillosa y preciosista de sus tallas en hueso, en piedra y en madera.

Esa huella intemporal, esa presencia en la balanza de la historia y el tiempo, esa concurrencia que los Mayas aún mantienen en el espacio centroamericano es el espíritu que ha animado la producción de este libro que hoy entregamos a las generaciones del presente y del futuro como un reconocimiento de nuestras más profundas raíces y como un homenaje a tan enigmática y sorprendente civilización.

is undeniable that the imprint of the jaguar's paw impregnated an entire segment of our past and bequeathed to eternity their unquenchable thirst for truth, their questioning of the enigmas of the universe, their astronomical and mathematical ambitions which today astonish the modern mind, as well as their persistence and glorious image of life dramatized in their massive monoliths, in their majestic architecture and in the marvelous filigree of their works carved in bone, stone and wood.

This timeless imprint, this grandeur which transcends history and time, this strong presence that the Maya still have in the Central American region, is the spirit which has inspired the production of this book which we hand over to present and future generations, in recognition of our profound cultural roots and as a tribute to this enigmatic and surprising civilization.

CREDOMATIC

Prefacio Preface

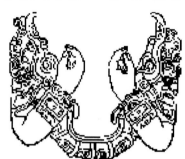

El Renacimiento de Copán y Tikal

Siempre cuando la gente habla de "ruinas" surgen ideas románticas, y a veces hasta fantásticas, de los logros y las glorias de nuestros antepasados en este planeta, de la grandeza de su época y de las intrigas de la corte y los conflictos entre pueblos que redujeron a escombros sus grandes monumentos y ciudades. Pero siempre es muy distinto para el arqueólogo, quien enfrenta la realidad y la difícil tarea de estudiar los restos, esos vestigios dispersos y parciales que nos dejó una cultura antigua, para poder llegar a esclarecer muchas preguntas.

Confrontado con una selva llena de especies —no todas felices de verlo allí— el arqueólogo enfrenta a la vez una verdadera selva de interrogantes y controversias. Encarando estas dos selvas tiene que hallar no sólo un buen sendero entre la jungla sino un camino científico que le permita despejar incógnitas, entre ellas: ¿Cómo fue esta cultura?, ¿por qué decidieron establecerse en este lugar? ¿Cómo organizaron su sociedad, en términos sociales, económicos y políticos?, ¿cuáles fueron las ideas religiosas y las inspiraciones que dieron vida a esta ciudad e insuflaron fuerza a sus gobernantes, sus sacerdotes, sus literatos, sus guerreros y la gente común?

The Renaissance of Copán and Tikal

Whenever people talk about "ruins," it brings to mind romantic and sometimes fanciful ideas about the glory and achievements of our forebears on this earth, the grandeur of their epoch, and the court intrigues and conflicts between nations that reduced their great monuments and cities to rubble. But it's quite a different story for the archæologist, who faces the reality and the tremendous challenge of studying the actual remains, those scattered and woefully incomplete vestiges left by an ancient culture, in order to try to solve multiple mysteries.

Confronted with a wild jungle environment full of species—most of which would prefer that he weren't there—the archæologist at the same time is confronted with a veritable jungle of unknowns and controversies. Facing these two wild woods, he is obliged to find not only a safe path through the forest, but a scientific way that will permit him to clarify a number of problems, such as: what was this culture like? Why was it established in this particular place? How did they organize their society, in social, economic, and political terms? What were the religious and inspired ideas that gave life to this city, and strength of purpose to its rulers, its priests, its writers, its warriors, and the common people?

Y sobre todo, ¿por qué está esto en ruinas? ¿Cuáles fueron los motivos por los cuales no hay nadie en este lugar, hoy en día, que me pueda contestar estas preguntas?

El presente tomo nos ofrece una visión amplia y preciosa de lo que dos destacados arqueólogos centroamericanos han logrado despejar en las selvas de las afamadas ciudades Mayas antiguas de Copán y Tikal. Ricardo Agurcia Fasquelle y Juan Antonio Valdés han triunfado en sus andanzas por sus respectivas junglas bióticas e intelectuales, y nos ofrecen en estas lindas páginas muchos aportes valiosísimos y verídicos sobre el pasado de estos encantadores lugares. El lector sigue los pasos —algunos falsos, otros seguros— de los primeros investigadores, para llegar a entender cómo es que ahora se sabe tanto de Copán y de Tikal, las dos ciudades Mayas mejor estudiadas y comprendidas en el mundo Maya. Con mucha creatividad y humanismo, amarradas siempre ambas en la disciplina y lógica rigurosa de la Antropología, Agurcia y Valdés nos iluminan la historia de estos justamente admirados orbes precolombinos.

Aquí se informa de todos los aspectos de la vida antigua de los Mayas del Período Clásico vislumbrado, desde el tamaño y organización de la sociedad hasta el nombre de los reyes y los cultos y monumentos propios de cada uno de ellos. Comprendemos el contexto ecológico de cada reino y el desarrollo cada vez más complejo del centro religioso y administrativo, en el entramado de las relaciones sostenidas con dinastías rivales de otras tierras.

Llegamos al punto de sentir que conocemos a los reyes mismos no sólo por su fisonomía y nombres en las estelas, en los

And above all, why is it in ruins? Why is there no one here today who can answer these questions?

The present volume offers us a sweeping and beautiful vision of what two distinguished Central American archæologists have been able to discover in the jungles of the famous ancient Maya cities of Copán and Tikal.

Ricardo Agurcia Fasquelle and Juan Antonio Valdés have triumphed in their explorations of their respective biological and intellectual woods, and offer us many valuable and reliable insights about the past of these two enchanting places.

The reader follows in the footsteps—some well-taken, others not—of the early explorers, in order to show how it is that we now know so much about Copán and Tikal, the two best understood city-states of the Maya world.

In a creative and humanistic way—yet still anchored in the rigorous logic and social science tradition of Anthropology—Agurcia and Valdés illuminate the history of these justly admired Precolumbian metropoli.

Here we are informed of all the aspects of the lives of the Classic Maya that have been clarified by scientific study, from the size and organization of the society to the names of its rulers, and the cults and monuments attributed to each of them.

We come to understand the ecological context of each realm, and the ever more complex development of their religious and administrative centers, within the framework of their relations with rival dynasties of foreign lands.

We get to the point of feeling that we know the kings themselves not just by their portraits on the stelae, wooden lintels, and enormous temples they left behind, but by the challenges that they faced in their

dinteles de madera y en los enormes templos, sino por los retos que ellos afrontaron en sus vidas y por las acciones que emprendieron para solucionarlos.

Es tanto lo que han iluminado los Arqueólogos Agurcia y Valdés en este libro —a base no sólo de sus propios estudios voluminosos sino de los de todos sus colegas en el campo, cuya obra es citada— que yo considero que podemos hablar ya del renacimiento de estas dos ciudades. Los reyes y sus monumentos nos hablan a través de los siglos, nos comunican sus fuerzas, sus penas, sus deseos de mantener el balance precario entre las fuerzas del bien y del mal. También el pueblo se hace escuchar, en el gran volumen y extensión de sus habitaciones y los monumentos que ellos levantaron con sus manos. Pero sobre todo, el pueblo de estas dos ciudades nos habla en forma contundente por su ausencia, por el hecho de que se fueron de estos lugares enigmáticos dejándonos tantas ruinas. Y también a los arqueólogos nos legaron el desafío —y la gran responsabilidad— de averiguar por qué eso es así, y de esforzarnos por prevenir que nuestras sociedades actuales repitan esa misma historia. En este sentido, también, Agurcia y Valdés nos presentan con algo vivo del pasado, ya que nosotros hoy en día afrontamos muchos de los mismos retos que desafiaron a los antiguos Mayas.

Así que al lector le felicito porque al leer el texto y apreciar las imágenes de estas páginas usted habrá visto al pasado volver a vivir, y a la cultura Maya de Copán y Tikal renacer.

lifetimes, and the actions they carried out to try to meet them.

These two archæologists have illuminated so much in this book—based on their own voluminous studies, and those of their amply-cited colleagues in the field—that I think that we can begin to talk now about the renaissance of these two ancient cities. The kings and their monuments speak to us across the centuries, and tell us of their strengths, their disappointments, their attempts to strike a balance in a world full of good and of evil.

The people also make themselves heard, in the great size and extent of their residences, and through the size and elaboration of the monuments that they lifted with their bare hands.

But above all, the people of these two cities speak to us in a resounding way by their absence, by the fact that they left these enigmatic places, leaving us so many ruins.

And to the archæologists, they also inherited us an enormous challenge—and responsibility: to find out why Copán and Tikal are in ruins, and to do what we can to prevent our own societies from repeating that history.

In this sense, also, Agurcia and Valdés bring the past to life, since today we face many of the same challenges that confronted the ancient Maya.

As such, my congratulations go to them, but also to you, the reader. For as you read the text and admire the images contained within these pages, you will have seen the past come to life, and the Maya culture of Copán and Tikal, be reborn.

William L. Fash

William L. Fash. Copán Ruinas, Honduras. Sept. 6, 1993.

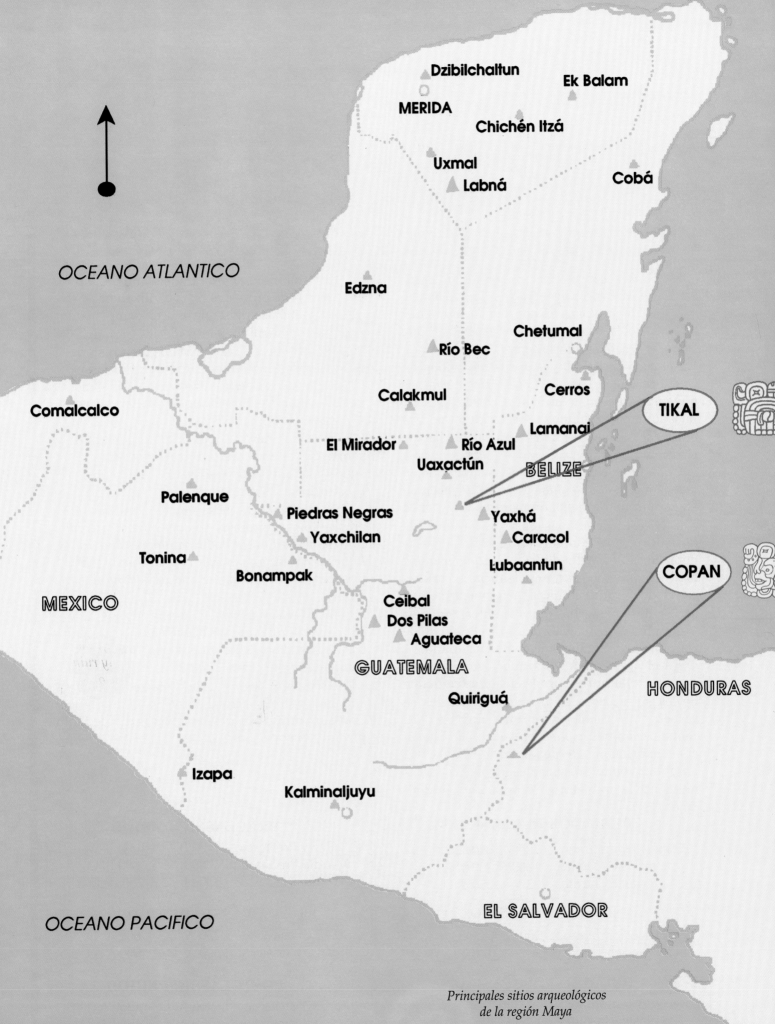

Dzibilchaltun
Ek Balam
MERIDA
Chichén Itzá
Uxmal
Labná
Cobá

OCEANO ATLANTICO

Edzna

Chetumal
Río Bec

Cerros
Calakmul
Comalcalco
Lamanai
El Mirador   Río Azul   TIKAL
Uaxactún   BELIZE

Palenque
Piedras Negras   Yaxhá
Yaxchilan   Caracol
Tonina   Lubaantun   COPAN
Bonampak

MEXICO   Ceibal
Dos Pilas
Aguateca
GUATEMALA   HONDURAS

Quiriguá

Izapa
Kalminaljuyu

OCEANO PACIFICO   EL SALVADOR

*Principales sitios arqueológicos
de la región Maya*

*Main archæological
sites of the Maya region*

Cronología Maya

Para comprender mejor los procesos históricos de todas las civilizaciones, los arqueólogos han debido segmentar el tiempo en períodos específicos que reciben diferente nombre cada uno. En el caso de los Mayas, estos se dividen en tres: Preclásico, Clásico y Posclásico, términos que principiaron a utilizarse desde el siglo pasado como sinónimo de los aplicados por los europeos al referirse a las culturas modelo de Grecia y Roma.

Cada uno de estos períodos se subdivide en lapsos más cortos y estos a su vez lo hacen en fases y facetas de menor temporalidad, tratando con ello de ubicar etapas más exactas dentro de la historia. Los cambios entre estas fases se determinan a partir de los hallazgos arqueológicos, teniendo gran importancia la cerámica, estilos arquitectónicos, arte, monumentos esculpidos y, en fechas más recientes, también los análisis de laboratorio, como el método de Carbono 14 y la Hidratación de Obsidiana.

En el área Maya los arqueólogos emplean nombres diferentes para las fases de cada uno de los sitios, pero en términos generales se respeta una cronología que sirve de base para realizar comparaciones entre sitios. La secuencia principia alrededor del año 2000 a. C., y finaliza con la presencia española. Tradicionalmente la prehistoria del área Maya se divide en:

PERIODO PRECLASICO

Preclásico Temprano	2000 - 1000 a. C.
Preclásico Medio	1000 - 300 a. C.
Preclásico Tardío	300 - 250 d. C.

PERIODO CLASICO

Clásico Temprano	250 - 600 d. C.
Clásico Tardío	600 - 900 d. C.

PERIODO POSCLASICO

Posclásico Temprano	900 - 1250 d. C.
Posclásico Tardío	1250 - 1500 d. C.

Maya Chronology

In order to better understand the historic processes of all civilizations, archaeologists have been compelled to segment time into specific periods.

In the case of the Maya, their historic process has been divided into three: Preclassic, Classic and Postclassic, synonyms of the same periodization used by Europeans when referring to Greek and Roman classic cultures.

Each one of these periods is subdivided into shorter spans and these, in turn, are further subdivided into phases so as to define more precise episodes in history.

Changes between phases are determined from archaeological findings, notably pottery, architectural styles, art, inscribed monuments and, in more recent times, laboratory analysis such as obsidian hydration dating and radiocarbon dating.

In the Maya area, archaeologists employ different names for the phases of each of the sites, but a basic chronology is commonly used for comparitive purposes.

The sequence begins around the year 2000 B. C., and ends with the arrival of the Spaniards. Consequently, prehispanic history is divided into the following periods:

PRECLASSIC PERIOD

Early Preclassic	2000 B. C. - 1000 B. C.
Middle Preclassic	1000 B. C. - 300 B. C.
Late Preclassic	300 B. C. - 250 A. D.

CLASSIC PERIOD

Early Classic	250 A. D. - 600 A. D.
Late Classic	600 A. D. - 900 A. D.

POSTCLASSIC PERIOD

Early Postclassic	900 A. D. - 1250 A. D.
Late Postclassic	1250 A. D. - 1500 A. D.

*Copán, Estela C. Retrato
del Soberano 18 Conejo*

*Stela C, Copán. Portrait
of the Ruler 18 Rabbit*

Emblema de Copán
Copán's Emblem

COPAN
ATENAS DEL NUEVO MUNDO
ATHENS OF THE NEW WORLD

Ricardo Agurcia Fasquelle
ASOCIACION COPAN

Panorámica del Valle y las vegas del río Copán/Panoramic view of the Copán River Valley

Pueblo de Copán Ruinas/The town of Copán Ruinas

Un lugar llamado Copán

Las ruinas de Copán están localizadas en el occidente de Honduras, a 184 km de la ciudad de San Pedro Sula y 438 km de la capital, Tegucigalpa.

El pueblo de Copán Ruinas dista sólo un kilómetro del Parque Arqueológico y dispone de hoteles y restaurantes de buena calidad, rodeados por un ambiente acogedor y tradicional.

Los Mayas ubicaron su ciudad a orillas del Río Copán, en un pequeño valle de tierra muy fértil y clima sumamente agradable. A su alrededor emergen las montañas pobladas de pinos y robles, mientras que en las zonas bajas, como las que rodean al sitio arqueológico, aún quedan las huellas, entre campos de tabaco y maíz, del bosque tropical que predominara antaño, con sus gigantes árboles de ceiba, caoba, cedro y masica. El río Copán conserva su vegetación y atmósfera milenaria, y nos recuerda que tanto ayer como hoy era fuente permanente de vida para la agricultura así como un delicioso refugio para el calor del mediodía.

Aunque asentada en los trópicos, Copán tiende a ser mucho más fresco de lo que el visitante espera. Esto se debe a su

A place called Copán

The ruins of Copán are located in western Honduras, 184 km from the city of San Pedro Sula and 438 km from the capital city, Tegucigalpa.

The town of Copán Ruins is barely one kilometer away from the Archaeological Park. Here you can find good quality hotels and restaurants, surrounded by a cozy and traditional atmosphere.

The Maya established their city on the banks of the Copán River, in a small valley with fertile soil and a very pleasant climate. It is encircled by mountains covered by pinetrees and oaks, while the lowlands, like those surrounding the archaeological site, still bear traces, among fields of tobacco and corn, of the tropical forest which once covered the zone with its giant ceiba, mahogany, cedar and breadnut trees. The Copán River preserves its age-old vegetation and atmosphere, a constant reminder that today, as well as yesterday, it is a permanent source of life for agriculture, as well as a welcome shelter from the noontime heat.

Although located in the tropics, Copán tends to be much cooler than the

Un colorido día en Copán Ruinas
A colorful day in Copán Ruinas

Río Copán
Copán River

Museo Regional
de Arqueología
Copán Ruinas
Regional Museum
of Archæology

elevación de 600 metros sobre el nivel del mar y a las verdes montañas que dejan navegar una brisa fresca todas las tardes o que abrigan las nubes al anochecer.

El arqueólogo Sylvanus Morley llamó a estas ruinas la *Atenas del Nuevo Mundo* reconociendo así su alto valor estético y otorgándole su lugar como uno de los logros culturales más espectaculares del pasado americano y del orbe entero. Este hecho fue ratificado de nuevo en el ámbito internacional en 1980, cuando la UNESCO declaró a Copán como Patrimonio Mundial de la Humanidad.

Las ruinas han sido el enfoque principal de numerosas expediciones de exploración e investigación, comenzando desde la década de 1830 y llegando hasta el presente. Este interés es merecido, considerando no sólo la calidad de los monumentos arquitectónicos y escultóricos sino también su magnitud. El Grupo Principal de Copán es uno de los más grandes en el área Maya, y eso que únicamente encierra unas pocas de las más de 4500 estructuras o "montículos" que han sido localizados en el valle circunvecino hasta la fecha.

Copán ocupa el primer lugar de los sitios Mayas en cuanto a cantidad de esculturas, incluyendo estelas y altares, si bien la mayoría de este tipo de tallado

visitor expects. This is due to its elevation, 600 m above sea level, and to the mountains which allow a fresh breeze to come down their slopes in the afternoons and harbor clouds in the evening.

Archaeologist Sylvanus Morley called these ruins the *Athens of the New World*, thus recognizing their great artistic value and ranking them as one of the most spectacular cultural achievements of ancient America and of mankind as a whole. This fact was once again recognized by the international community in 1980, when it was designated a world heritage site by UNESCO.

The ruins have been the focus of numerous exploration and research expeditions since the 1830's. This interest is well deserved, considering not only the quality of the architectural and sculptural monuments but their number. The Main Group of Copán is one of the largest in the Maya area, notwithstanding the fact that it only encompasses a few of the more than 4500 structures or "mounds" which have been located to date in the neighboring valley.

Copán ranks first among the Maya sites with respect to the quantity of sculpture, including stelae and altars, although the majority of this carving is

Mil años más tarde: Rostros, comercio, quizás las mismas necesidades existenciales. Una mañana en el mercado de Copán Ruinas

One thousand years later: Faces, trade, perhaps the same existential needs. The market of Copán Ruinas in the morning

*Uno de los muchos y quizás centenarios
seres vivos que bordean el río Copán*

*One of the many and possibly centennial
beings bordering the Copán River*

GRUPO PRINCIPAL
MAIN GROUP

LAS SEPULTURAS

RIO COPAN RIVER

EL BOSQUE

RIO COPAN RIVER

0   500
Metros/Meters

estuvo sobre las fachadas de los templos y edificios (construidos en la cúspide de pirámides escalonadas), los que estaban cubiertos por vistosos mosaicos decorativos. Tiene también el privilegio de poseer el texto escrito más largo del Nuevo Mundo: la famosa Escalinata de los Jeroglíficos de la Estructura 10L-26.

A nivel general, el Parque Arqueológico actual de Copán está conformado por tres elementos mayores: el Grupo Principal, la Zona Residencial de El Bosque y la Zona Residencial de Las Sepulturas.

El Grupo Principal está constituido por la Gran Plaza y la Acrópolis. Ambas pueden ser subdivididas en elementos arquitectónicos menores, cuyo plan bá-

seen in the façades of the temples and buildings (built on the summit of stepped pyramids), which were covered with colorful decorative mosaics. It also has the privilege of exhibiting the longest written text of the New World: the famous Hieroglyphic Stairway of Structure 10L-26.

Generally speaking, the present day Archaeological Park of Copán comprises three main elements: the Main Group, the *El Bosque* Residential Zone and the *Las Sepulturas* Residential Zone.

The Main Group is formed by the Great Plaza and the Acropolis.

Both may be subdivided into smaller architectural components, whose basic design is an open courtyard surrounded

Maqueta del Grupo Principal
Scale model of the Main Group

sico es el de un patio rodeado por pirámides con edificios.

Asimismo, la Gran Plaza y la Acrópolis reflejan un exhaustivo esfuerzo laboral, la primera por su gran extensión —más de tres hectáreas— de terreno nivelado (originalmente pavimentado) y la segunda por su enorme masa elevada a más de 30 metros sobre el nivel natural.

by pyramids with buildings. Both the Great Plaza and the Acropolis reflect an enormous labor investment, the first because of its great extension —more than three hectares— and the latter because of its enormous elevated mass —more than thirty meters above the natural terrain.

Cuchillo de pedernal. Ofrenda encontrada en Rosalila
Flint knife. Offering found in the Rosalila *Temple*

Lo que los investigadores han descubierto en Copán

What archaeologists have discovered at Copán

Por casi cien años los investigadores postularon una visión de los Mayas que, a partir de los últimos descubrimientos de los proyectos arqueológicos de Copán y Tikal y de los avances en la arqueología Maya en general, ha sido cambiada drásticamente.

En ese esquema tradicional la sociedad Maya era retratada como una teocracia regida por un poderoso grupo sacerdotal. Las ruinas de los conjuntos arquitectónicos, especialmente la zona de pirámides, eran consideradas como centros ceremoniales constituidos exclusivamente por templos. Se pensaba que la mayoría de la población vivía en pequeñas aldeas circunvecinas y que se desplazaba a las grandes plazas de los sitios principales solamente para asistir a las celebraciones religiosas.

During more than one hundred years researchers have postulated theories of the Maya which have recently been revised based on new evidence unearthed by the Tikal and Copán archaeological projects and by advances in Maya archaeology in general.

In the traditional scheme, Maya society was portrayed as a theocracy ruled by a powerful group of priests. Their architectural complexes, particularly those with major pyramids, were thought to be ceremonial centers composed exclusively of temples. It was presumed that the majority of the population lived in small neighboring villages and would congregate at the main sites only for religious celebrations.

Gran Plaza de Copán
Copán's Great Plaza

Se creía asimismo que los personajes representados en el arte eran los dioses o, cuando menos, los sacerdotes. Según este concepto la escritura jeroglífica reflejaría un sistema de profecía por el cual los sacerdotes Mayas documentaban, basadas en observaciones astrológicas, sus predicciones de eventos .

Con raras excepciones, los investigadores de antaño no aceptaban que el arte y la escritura jeroglífica de los Mayas contuviera una enorme cantidad de datos históricos que nos hablaran sobre la nobleza real como parte integral de esa sociedad.

La arqueología moderna en Copán comienza en 1975 con el Proyecto del Museo Peabody de la Universidad de Harvard, encabezado por Gordon Willey. Casi cien años antes (1891-1895) esta misma institución llamó la atención del mundo científico al destacar la trascendental importancia de Copán y dio inicio a su ilustre carrera como sitio de avanzada en los estudios de los antiguos Mayas.

It was also assumed that the individuals portrayed in the arts were gods, or at least, priests.

According to this notion, the hieroglyphs reflected a system of prophecies by means of which the Maya priests documented their predictions, based on astrological observations.

With rare exceptions, researchers did not recognize that the arts and the hieroglyphs of the Maya contained an enormous amount of historical data which provide information about the nobility as an integral part of that society.

Modern archaeology in Copán started in 1975 with the Peabody Museum Project of the University of Harvard, headed by Gordon Willey. Almost one hundred years before (1891-1895), this same institution drew the attention of the scientific world when it highlighted the importance of Copán as an *avant-garde* site for the study of the ancient Maya.

A su vez, en 1977 el Gobierno de Honduras, a través del Ministerio de Cultura y Turismo y sus dependencias, el Instituto Hondureño de Turismo y el Instituto Hondureño de Antropología e Historia, aseguraron continuación a esta noble tradición mediante una serie de proyectos que se han extendido hasta la actualidad y cuyos resultados han sido impresionantes.

Las investigaciones realizadas en estos proyectos por prominentes científicos de diversas nacionalidades reflejan una enorme diversidad de estudios, incluyendo antropología física y social, etnohistoria, ecología, arte, escritura y, particularmente, de arqueología a través de excavaciones intensivas en la Acrópolis, Gran Plaza, las Sepulturas y el Bosque, así como el trazo de mapas y sondeo de millares de ruinas menores esparcidas por todo el valle.

Estas prospecciones han permitido, por primera vez, reconstruir el desarrollo de la antigua ciudad a través del tiempo y percatarse sobre las diversas fuerzas históricas que la moldearon, presentando así una nueva visión de Copán en el Mundo Maya.

The Government of Honduras continued these studies through a series of projects begun in 1977 sponsored by the Ministry of Culture and Tourism and its dependencies, the Honduran Institute of Tourism and the Honduran Institute of Anthropology and History.

Some of these projects continue to date with impressive results.

The investigations conducted through these projects by renowned scientists of diverse nationalities reflect a variety of studies, including physical and social anthropology, ethnohistory, ecology, art, writing, and particularly archaeology —through intensive excavations in the Acropolis, Great Plaza, *Las Sepulturas* and *El Bosque*, as well as mapping and test-pitting of hundreds of secondary ruins scattered throughout the valley.

These surveys have allowed us to reconstruct the development of the ancient city through time and to gain insights into the diverse historical forces which helped shape it, thus presenting us with a new vision of Copán in the Maya World.

Figurilla de barro.
Período Clásico Tardío (700-850 d. C.)

Clay figurine.
Late Classic Period (700-850 A. D.)

Vasija incisa del Período Clásico Tardío
Incised vase from the Late Classic Period

Altar Q, con los retratos de los 16 soberanos de Copán en su orden histórico

Altar Q, with the portraits of the 16 rulers of Copán historically ordered

De las investigaciones realizadas quizás las más notables han sido las jeroglíficas, ampliamente documentadas en los trabajos de Heinrich Berlin, Joyce Marcus, Sylvanus Morley, Berthold Riese, Linda Schele y David Stuart. Con ellas se ha demostrado que los textos jeroglíficos descubiertos por los arqueólogos en Copán, aunque firmemente basados en datos calendáricos y astronómicos, en realidad se refieren a la vida y acontecer de los gobernantes Mayas. Un buen ejemplo de esto es el Altar "Q".

The hieroglyphic investigations are probably the most renowned and are widely documented in the works of Heinrich Berlin, Joyce Marcus, Sylvanus Morley, Berthold Riese, Linda Schele and David Stuart. They have demonstrated that the hieroglyphic texts discovered by archaeologists in Copán, although staunchly based on calendrical and astronomical data, in reality narrate the life and times of the Maya rulers. A good example is Altar "Q".

Ubicado al pie de la escalinata del Templo 10L-16 en el Patio Occidental de la Acrópolis, el Altar Q es uno de los monumentos históricos más destacados de Copán. El erudito norteamericano Herbert Joseph Spinden sugirió que este altar representaba una conferencia de astrónomos Mayas en el sexto siglo después de Cristo. Según su interpretación, las 16 figuras sentadas en los lados del altar eran astrónomos convocados a Copán para "corregir" el Calendario Solar de 365 días intercalándole un día adicional cada cuatro años.

Los avances en la arqueología y en el desciframiento jeroglífico durante las tres últimas décadas han demostrado que Spinden estaba errado. El texto sobre el altar, así como los glifos sobre los que se sientan las 16 figuras humanas tratan, no de la astronomía y de sus practicantes, sino de acontecimientos históricos locales y de sus principales protagonistas: los gobernantes de Copán.

La fecha al frente (lado Oeste) del altar —6 *Caban* 10 *Mol*— se encuentra también en uno de los paneles jeroglíficos del Templo 11, celebrando la "toma de posesión" del 16° mandatario de Copán, *Yax Pac*. La fecha completa es

Located at the foot of Temple 10L-16 in the West Court of the Acropolis, Altar "Q" is one of the most remarkable historic monuments of Copán. The North American scholar, Herbert Joseph Spinden, suggested that this altar represented a conference of Maya astronomers in the sixth century. According to his interpretation, the sixteen figures seated on the sides of the altar were astronomers who had been convened at Copán to "correct" the 365-day Solar Calendar, by inserting an additional day every four years.

Advances in archaeology and in the decipherment of hieroglyphs during the past three decades have demonstrated that Spinden was wrong. The text on the altar, as well as the glyphs on which the sixteen human figures are seated, reveal local historical events and incidents in the lives of the main protagonists: the rulers of Copán.

The date on the front (West side) of the altar, 6 *Caban* 10 *Mol*, is also found in one of the hieroglyphic panels of Temple 11, which celebrates the accession to power of the sixteenth ruler of Copán, *Yax Pac*. The complete date is

Ubicación del Altar Q, al pie del Templo 16 (abajo, derecha)/Altar Q, at the foot of Temple 16 (bottom, right)

Altar Q, cara Oeste/West Side, Altar Q

Altar Q, cara Sur/South Side, Altar Q

9.16.12.5.17, 6 *Caban* 10 *Mol*, y corresponde al 2 de Julio del 763 en el calendario Cristiano. En el Altar Q el nombre de este último soberano aparece bajo la figura a la derecha de la fecha.

Los otros gobernantes están también sentados sobre sus propios nombres, escritos en jeroglíficos, dando vuelta al altar en dirección contraria a las manecillas del reloj. Así sucede que el glifo

9.16.12.5.17, 6 *Caban* 10 *Mol*, and corresponds to July 2, 763 of the Christian era. In Altar "Q" the name of this last ruler appears under the figure to the right of the date.

The rest of the rulers, also seated upon their own name glyphs written in hieroglyphs, can be read in a counter-clockwise direction. Thus, the name glyph of the next to the last ruler is

Altar Q, cara Este/East Side, Altar Q

Altar Q, cara Norte/North Side, Altar Q

nominal del penúltimo gobernante está bajo la figura a la derecha de *Yax Pac*. El glifo nominal del antepenúltimo monarca está contiguo a este bajo la figura que sigue al lado Sur del altar, etc. De aquí parte el concepto, reforzado por otros datos epigráficos y arqueológicos, de que en el Período Clásico (específicamente entre 400-820 d. C.) Copán contó con una dinastía real compuesta por 16 soberanos.

below the figure to the right of *Yax Pac*. The name glyph of the antepenultimate monarch is next to him, below the figure which follows on the South side of the altar, and so on. The conviction that Classic Period (A. D. 400-820) Copán had a royal dynasty comprised by sixteen rulers stems precisely from evidence collected from this altar, reinforced by other epigraphic and archaeological data.

*Altar Q. Retrato del primer
rey de Copán,* Yax K'uk Mo'
*Altar Q. Portrait of the first
ruler of Copán,* Yax K'uk Mo'

Los Gobernantes de Copán y su Historia Dinástica

La información sobre los primeros gobernantes de Copán es escasa, debido en gran parte a la costumbre Maya de destruir o sepultar monumentos anteriores con nuevas construcciones.

El primer mandatario es desconocido en monumentos propios, aunque es mencionado extensamente por sus sucesores. Esta destacada figura de la historia de Copán es conocida con el nombre de *Yax K'uk Mo'*, o "Quetzal Guacamayo", y es quien entrega el "bastón de mando" a *Yax Pac* en el Altar Q —el primero en la línea de "legítimos" gobernantes y el que sanciona el derecho a ocupar el trono.

La Estela 63, descubierta en 1988 por William Fash enterrada en el basamento de la Escalinata de los Jeroglíficos (Estructura 10L-26) en un templo al que dio el nombre de "Papagayo", fue erigida por el segundo soberano en conmemoración al inicio del noveno ciclo o noveno *baktun* (período de 400 años). Su fecha corresponde en el calendario Maya a 9.0.0.0.0 (435 d. C.) e implicó para ellos un evento tan significativo como lo será para nosotros el cambio de milenio en el año 2000.

The Rulers of Copán and their Dynastic History

Information regarding the first rulers of Copán is scarce, due mainly to the Maya custom of destroying or burying previous monuments with later successive constructions.

The first ruler is unknown by his own monuments, although he is mentioned extensively by his successors. This prominent figure in Copan's history is known as *Yax K'uk Mo'* or "Quetzal-Macaw" and it is he who gives *Yax Pac* the "scepter of office" in Altar "Q" —the first in the line of "legitimate" rulers and the one who sanctions the right to occupy the throne thereafter.

Stela 63, discovered in 1988 by William Fash buried in the Hieroglyphic Stairway (Structure 10L-26) in a previous temple to which he gave the field name of *"Papagayo"*, was erected by the second ruler to commemorate the beginning of the ninth cycle or ninth *baktun* (period of 400 years). This corresponds to 9.0.0.0.0 of the Maya calendar (A. D. 435), a particularly important period setting, akin to what the year 2000 will be for Western civilization.

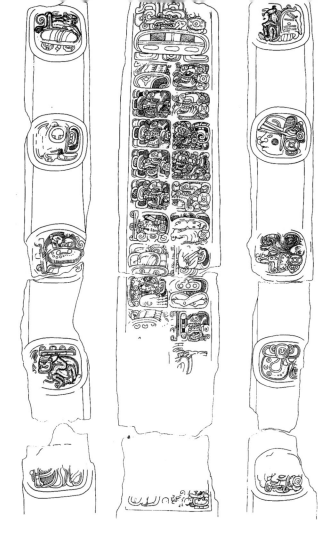

Estela 63 erigida en honor a Yax K'uk Mo'
Stela 63, carved in honour of Yax K'uk Mo'

*Segundo gobernante
de Copán,
"Petate en la Cabeza"*

*Second ruler of Copán,
"Mat Head"*

Este segundo gobernante, conocido con el nombre de "Petate en la Cabeza", destaca aquí que es el hijo de *Yax K'uk Mo'* y que hace honor a su padre como mandatario de Copán al comenzar este importante ciclo. El vínculo hereditario entre estos dos monarcas es recalcado por otra escultura descubierta por Fash en 1992 debajo del Templo Papagayo en una estructura con elementos arquitectónicos Tikaleños llamada *Mot Mot*. Se trata de un disco marcador con los retratos de los dos reyes frente a frente y un detallado texto jeroglífico entre ambos.

Otros monumentos nos permiten saber que *Yax K'uk Mo'* hacía sentir su presencia desde 426 d. C., si no antes. Con el avance de las investigaciones se va conociendo más de este importante rey, cuyos destacados actos en la vida social, política y religiosa de Copán llevaron a su reconocimiento, por más de cuatrocientos años y quince cambios de gobierno, como el fundador de la dinastía real copaneca.

This second ruler, known as "Mat Head", stresses that he is the son of *Yax K'uk Mo'* and that, at the beginning of this important cycle, he is honoring his father as ruler of Copán. The hereditary bond between these two monarchs is underscored by another sculpture discovered by Fash in 1992 under Temple *Papagayo*, in a structure with architectural elements from Tikal called *Mot Mot*. It is a marker which carries the portraits of the two kings face to face and a detailed hieroglyphic text between them.

Other monuments allow us to infer that *Yax K'uk Mo''*s presence was felt since A. D. 426, if not before. Ongoing research is allowing us to know more and more about this important king, whose outstanding performance in the social, political and religious spheres of Copán made him worthy of recognition as the founder of the royal dynasty, during more than four hundred years and fifteen changes of government.

*Altar Q. Retrato del tercer
rey de Copán, desconocido*
*Altar Q. Portrait of the third
ruler of Copán, unknown*

*Altar Q. Retrato del cuarto
rey de Copán, Cu Ix*
*Altar Q. Portrait of the fourth
ruler of Copán, Cu Ix*

*Altar Q. Retrato del quinto
rey de Copán, desconocido*
*Altar Q. Portrait of the fifth
ruler of Copán, unknown*

*Altar Q. Retrato del sexto
rey de Copán, desconocido*
*Altar Q. Portrait of the sixth
ruler of Copán, unknown*

*Altar Q. Retrato del sétimo
rey de Copán, Nenúfar Jaguar*
*Altar Q. Portrait of the seventh
ruler of Copán, Waterlily Jaguar*

*Altar Q. Retrato del octavo
rey de Copán, desconocido*
*Altar Q. Portrait of the eighth
ruler of Copán, unknown*

*Altar Q. Retrato del noveno
rey de Copán, desconocido*
*Altar Q. Portrait of the ninth
ruler of Copán, unknown*

Los datos de los siguientes siete gobernantes son escasos y apenas comienzan a ser descubiertos a través de nuevos hallazgos, tales como los del interior del Templo Papagayo.

El décimo gobernante es identificado con el nombre de "Luna Jaguar" y gobernó de 553 a 578 d. C. Los monumentos conocidos de su reinado están en el mismo lugar que el actual pueblo de Copán Ruinas, un kilómetro al este del Grupo Principal, destacando la importancia que esta otra localidad tuvo para el linaje real. La Estela 9 nos dice que Luna Jaguar era hijo de "Nenúfar Jaguar", sépti-

Information on the next seven rulers is scarce and light is just beginning to be shed on them through new finds, such as those from the interior of Temple *Papagayo*.

The tenth governor, identified as "Moon Jaguar", ruled from A. D. 553 to A. D. 578. His monuments were erected in the same place as the present day town of Copán Ruinas, one kilometer to the East of the Main Group, highlighting the importance of this locality for the royal lineage.

Stela 9 tells us that Moon Jaguar was the son of "Waterlily Jaguar", seventh in

*Estela E. Retrata a Nenúfar Jaguar,
sétimo gobernante de Copán*

*Stela E. Portrait of Waterlily Jaguar,
seventh ruler of Copán*

mo sucesor de la secuencia dinástica, quien está retratado en la Estela E, al costado Oeste de la Gran Plaza, y gobernó de 504 a 544 d. C. Entre estos dos soberanos hay dos más casi totalmente desconocidos (el 8° y el 9°), quienes duraron muy poco tiempo en el trono (un total de nueve años entre ambos). Es probable que hayan sido hermanos menores de Nenúfar Jaguar o hijos de este y hermanos mayores de Luna Jaguar. En todo caso, por las intrigas de la corte, o simplemente del destino, parecen haber muerto tras poco tiempo en el poder.

En 1989 se descubrió en el basamento de la pirámide 10L-16 un templo en su totalidad enterrado por los Mayas. Este es el primero encontrado en estado completo en Copán y es conocido con el nombre de "Rosalila". En 1992, al extenderse las excavaciones de este templo, se descubrió una grada jeroglífica como parte de su escalera de acceso. En ella los expertos han descifrado una fecha, correspondiente al año 571 d. C. durante el reinado de Luna Jaguar, por lo cual se le atribuye esta obra.

El sucesor de Luna Jaguar lleva el nombre de *Butz' Chan*, que quiere decir

the dynastic succession and portrayed in Stela E, on the West side of the Great Plaza, and who ruled from A. D. 504 to A. D. 544. Between these two monarchs there are two others who are almost completely unknown (the eighth and ninth), whose combined reigns lasted only nine years. It seems that they were either younger brothers of Waterlily Jaguar or his sons, and thus older brothers of Moon Jaguar. In any case, they seem to have died shortly after acceding to the throne, a result of court intrigue or natural causes.

In 1989, a completely buried temple was discovered in Structure 10L-16.

It was given the field name of *Rosalila* and in 1992, when its excavations were extended, a hieroglyphic step was discovered as part of its stairway.

In it the experts deciphered a date corresponding to the year A. D. 571 during the reign of Moon Jaguar, to whom the building is therefore attributed.

Moon Jaguar was succeeded by *Butz' Chan*, which means "Smoke Snake" or

Altar Q. Retrato del 10°
rey de Copán, Luna Jaguar
Altar Q. Portrait of the 10th
ruler of Copán, Moon Jaguar

Altar Q. Retrato del 11°
rey de Copán, Butz' Chan
Altar Q. Portrait of the 11th
ruler of Copán, Butz' Chan

"Humo Serpiente" o "Humo Cielo" (*Chan* en Maya tiene ambos significados). Este fue otro de los grandes gobernantes de Copán; llegó al trono a la temprana edad de 15 años y permaneció allí hasta su muerte el 23 de Enero del año 628, 49 años más tarde. Su reinado, junto con el de los siguientes dos mandatarios, "Humo Jaguar" y "18 Conejo", cubren 160 años (578-738 d. C.) de la historia dinástica de Copán, época del principal crecimiento demográfico, político, social y artístico de la antigua ciudad. Es de suponerse que la longevidad en el poder de cada uno de estos gobernantes trajo la estabilidad sociopolítica que permitió dicho auge. Después de ellos, sólo *Yax Pac*, 25 años más tarde, alcanzó un reinado de duración similar.

En la actualidad nos quedan solamente dos estelas de *Butz' Chan*, que son la Estela 7, que se alzaba en la misma localidad que ocupa el pueblo de Copán Ruinas —y que hoy se encuentra resguardada en el Museo Arqueológico, no muy lejos de su sitio original—, y la Estela P localizada en el Patio Occidental de la Acrópolis, a orillas de la Estructura 10L-16 y muy cerca del Altar Q. Es probable que esta segunda estela haya estado inicialmente frente a Rosalila,

"Smoke Sky" (*Chan* in Maya has both meanings). He was another prominent and long-lived ruler; he acceded to power when he was only fifteen years old and reigned for forty-nine years before dying on January 23, 628. His rule, together with that of the next two governors, "Smoke Jaguar" and "18 Rabbit", cover 160 years (A. D. 578-738) of the dynastic history of Copán. This was the period of the greatest demographic, social, political and artistic growth of the city. Presumably, the long-lasting reigns of each of these rulers brought the sociopolitical stability which allowed Copán to reach the height of its splendor. After them, only *Yax Pac*, twenty years later, reigned for a similar period of time.

At present, only two stelae belonging to *Butz' Chan* remain: Stela 7, which was erected where the present town of Copán Ruins is —and which is presently sheltered in the Archaeological Museum, not far from its original site— and Stela P, located in the West Court of the Acropolis, at the base of Structure 10L-16 and close to Altar Q.

It is likely that this second stela was initially placed in front of *Rosalila*,

Estela P. Representa al 11° gobernante,
Butz' Chan
Stela P. Depicting the 11th ruler
Butz' Chan

Altar Q. Retrato del 12°
rey de Copán, Humo Jaguar
Altar Q. Portrait of the 12th
ruler of Copán, Smoke Jaguar

adonde *Butz' Chan* debió haber asistido para venerar a sus antepasados reales.

En la Estela 6, del año 681, el 12° Rey y sucesor de *Butz' Chan*, "Humo Jaguar" o "Humo Imix Dios K", es mencionado junto con su heredero "18 Conejo", quien llegó a ocupar el cargo catorce años más tarde. Humo-Jaguar fue un gobernante extremadamente enérgico y duradero,

where *Butz' Chan* must have gone regularly to pay his respects to his royal forefathers.

Stela 6, which dates to the year 681, cites the twelfth ruler and successor of *Butz' Chan*, "Smoke Jaguar" or "Smoke Imix God K". In it his own heir "18 Rabbit", who acceded to the throne fourteen years later, is also mentioned.

Estela I. Retrato del 12° gobernante de Copán,
Humo Jaguar (Humo Imix Dios K)
Stela I. Portrait of the 12th ruler of Copán,
Smoke Jaguar (Smoke Imix God K)

*Altar Q. Retrato del 13°
rey de Copán, 18 Conejo
Altar Q. Portrait of the 13th
ruler of Copán, 18 Rabbit*

*Estela 4. Retrato de 18 Conejo
Stela 4. Portrait of 18 Rabbit*

manteniéndose en el poder del año 628 al 695 d. C. Durante su vida erigió más de diez estelas, por lo menos cinco altares y dos inscripciones arquitectónicas. Su nombre aparece en muchos otros monumentos, aunque algunas son referencias póstumas (por ejemplo las Estelas I y J). Según la evidencia calendárica, Humo-Jaguar llegó a ser octogenario, lo que explica por qué la décimosegunda posición en el Altar Q la ocupa una persona llamada simplemente *5 Katun*. Asignando gran valor a la avanzada edad de sus gobernantes, Humo-Jaguar fue connotado por haber llegado a su quinto *Katun* de vida (quinto período de 20 años).

Una de las grandes ironías de la historia copaneca es que Humo Jaguar es mencionado en el Altar L de Quiriguá como ilustre huésped del nuevo gobernador de esa ciudad en el año 652. Ochenta y seis años más tarde, el tres de Mayo del 738, los descendientes del Rey de Quiriguá decapitaron a su sucesor, 18 Conejo.

Smoke Jaguar was an extremely energetic and long-lived ruler, remaining in power from A. D. 628 to A. D. 695. During his lifetime he erected more than ten stelae, at least five altars and two architectural inscriptions. His name appears in several other monuments, although some are posthumous references to him (Stelae I and J, for example). According to the calendrical data available, Smoke Jaguar lived to be an octogenarian, which explains why the twelfth position in Altar Q is occupied by a person simply referred to as *5 Katun*. Since the Maya held old-age in high esteem, Smoke Jaguar was distinguished because he lived to celebrate his fifth *Katun* (fifth period of twenty years).

One of the greatest ironies of Copanecan history is that Smoke Jaguar is cited in Altar L in Quiriguá as a distinguished guest and perhaps even patron of the new ruler of that city-state in the year 652. Eighty-six years later, on May 3, 738, the descendants of the King of Quiriguá returned this courtesy by beheading his successor, 18 Rabbit.

18 Conejo en Estela D
18 Rabbit in Stela D

Este destacado sucesor de Humo Jaguar es la figura dominante de las estelas de la Gran Plaza (A, B, C, D, F, H y 4) a la vez que su nombre, "18 Conejo", aparece debajo de la segunda figura (de izquierda a derecha) en el lado Sur del Altar Q, en la décimotercera posición.

Entre los grandes logros de este 13° gobernante está el haber sacado la escultura de Copán de un relieve poco profundo a un estilo casi redondo, precisamente por el cual Copán es hoy afamado. Bajo su mando se dio a la Gran Plaza la forma que hoy conserva y se consignó la mayoría de las estelas y altares que aquí se encuentran.

Asimismo, a él se le atribuye la construcción de la última versión del Campo de Pelota y el maravilloso Templo 22 de la Acrópolis. Este fue el "Rey de las Artes" en Copán.

This outstanding successor of Smoke Jaguar is the dominant figure in the stelae of the Great Plaza (A, B, C, D, F, H and 4). His name, "18 Rabbit", appears below the second figure (left to right) in the South side of Altar Q, in the thirteenth position.

One of the many great accomplishments of the thirteenth ruler is to have shifted the sculpture of Copán from a very low-relief to a nearly full-rounded one. This enabled Copán to reach the level of aesthetic and technical sophistication for which it is acclaimed. Under his leadership the Great Plaza grew to its present-day version, and he commissioned the majority of the stelae and altars found in it. Likewise, the construction of the last version of the Ballcourt and the magnificent Temple 22 of the Acropolis are also attributed to him. He was the "King of the Arts" of Copán.

Estela A: 18 Conejo
Stela A: 18 Rabbit

Juego de Pelota, obra de 18 Conejo
Ballcourt, built by 18 Rabbit

Mascarón del Templo 22, realizado por 18 Conejo
e identificado como "montaña sagrada"

Corner Mask of Temple 22, commissioned by 18 Rabbit
and identified as a "sacred mountain"

El siguiente gobernante, "Humo Mono" (14°), reinó por un período relativamente corto (catorce años) y turbulento debido a la dramática caída de su antecesor en manos del Rey de Quiriguá. Muchos investigadores piensan que en épocas anteriores Quiriguá fue un centro súbdito de Copán, y es posible que este cambio drástico en la relación entre ambas ciudades explique por qué Humo Mono no erigió sus propias estelas. A su vez, el triunfante gobernante de Quiriguá, "*Cauac* Cielo", procedió a levantar las estelas más altas del área Maya.

En la base de la Estela N, Humo Mono es reconocido como padre del siguiente soberano y su glifo nominal aparece bajo el personaje en la esquina izquierda del lado Sur del Altar Q, en la décimocuarta posición. Las investigaciones arqueológicas recientes del equipo de William y Barbara Fash le adjudican la Estructura 22A, edificio cuya escultura lo identifica como el *Popol Nah* o "Casa de la Comunidad". Aquí se reunía Humo Mono con sus principales asesores y jefes para tratar asuntos de Estado.

The next ruler, "Smoke Monkey" (fourteenth), reigned for a relatively short and turbulent period of time (fourteen years) probably due to the fall of his predecessor in the hands of the King of Quiriguá. Many experts believe that in previous times Quiriguá had been under the aegis of Copán, and it is quite possible that this drastic change in the relationship between both cities explains why Smoke Monkey did not erect his own stelae. The triumphant ruler of Quiriguá, "*Cauac* Sky", on the other hand, proceeded to build the highest stela of the Maya area.

On the base of Stela N, Smoke Monkey is recognized as the progenitor of the next ruler, and his name glyph appears below the individual in the left corner of the South side of Altar Q, in the fourteenth position. Recent archaeological investigations conducted by the Fash team (William and Barbara) attribute Structure 22A, whose hieroglyph identifies it as the *Popol Nah* or "Community House", to Smoke Monkey. Here he met with his principal advisors and chiefs to discuss matters of state.

Estructura 10L-22A. Popol Nah *o "Casa de la Comunidad", obra de Humo Mono*
Structure 10L-22A. Popol Nah *or "Council House", commissioned by Smoke Monkey*

Altar Q. Retrato del 14°
rey de Copán, Humo Mono
Altar Q. Portrait of the 14th
ruler of Copán, Smoke Monkey

Página anterior: Humo Caracol
Previous page: Smoke Shell

Altar Q. Retrato del 15°
rey de Copán, Humo Caracol
Altar Q. Portrait of the 15th
ruler of Copán, Smoke Shell

El décimoquinto gobernante fue quien dedicó la imponente Escalinata Jeroglífica y las Estelas M y N. La parte principal de su nombre ha sido leída por algunos expertos como *Cuc*, que en Maya quiere decir "Ardilla", pero otros difieren de esta interpretación, por lo cual prefieren llamarlo "Humo Caracol". Su sucesor, *Yax Pac*, lo menciona a menudo, por ejemplo en la Tribuna de Espectadores del Templo 11. El elemento principal de su nombre se encuentra bajo la figura sentada en la décimoquinta posición del Altar Q (extrema derecha al frente).

La Escalinata de los Jeroglíficos, con más de 1250 bloques de inscripción, es un narrativo histórico que resalta los logros de los antepasados de Humo Caracol. Aquí se puede reconocer las fechas y nombres de muchos de los monarcas anteriores cuyos monumentos fueron destruidos por sus sucesores en la mayoría de los casos, y que los arqueólogos ahora rescatan entre los rellenos de construcciones posteriores. Los gobernantes mismos fueron retratados en las figuras al centro de la escalinata y sobre el templo en la cúspide, en donde aparecen con la vestimenta de grandes guerreros. Asimismo, algunos de los eventos narrados en los textos escritos en la

The fifteenth ruler dedicated the splendid Hieroglyphic Stairway of Structure 10L-26 as well as Stelae M and N.

The main segment of his name has been read by some experts as *Cuc*, which means "Squirrel" in Maya, but others differ, and prefer to call him "Smoke Shell". His successor, *Yax Pac*, mentions him often, in the Reviewing Stand of Temple 11, for example.

The main element in his name is found below the seated figure in the fifteenth position of Altar Q (far right to the front).

The Hieroglyphic Stairway, with more than 1250 engraved stone blocks, is an elegant historical text which records the accomplishments of Smoke Shell's predecessors.

The dates and names of several rulers whose monuments were destroyed by their successors, and which are now being rescued by archaeologists from the fill of later constructions, can be identified in this chronicle. The rulers are portrayed in the figures seated in the center of the stairway and on the temple in the summit, where they are dressed in full battle regalia.

Some of the events recorded allude to such battles and conquests of the kings,

Altar Q. Retrato del 16°
rey de Copán, Yax Pac
Altar Q. Portrait of the 16th
ruler of Copán, Yax Pac

escalinata tratan de las batallas y conquistas de aquellos, por lo cual William Fash ha sugerido que el propósito principal de este monumento era restituir el orgullo copaneco después de la penosa captura y decapitación de 18 Conejo.

El nombre del décimosexto gobernante destacado en el frente del Altar Q se encuentra en decenas de otros monumentos, la mayor parte de ellos en el

which led William Fash to suggest that the main purpose of this monument was to have the Copanecs regain their pride as warlords despite the embarrassing defeat of 18 Rabbit.

The name of the sixteenth ruler, featured on the front of Altar Q, is found on dozens of other monuments, most of them in the Main Group,

Templo 11, lado Sur/Temple 11, South Side

Páginas anteriores: Mono-Hombre del Inframundo. Patio Occidental de la Acrópolis (Izq.) y Dios Viejo "Pahuatun", Estructura 10L-11

Previous pages: Monkey God from the Underworld. Western Court of the Acropolis (left) and Old God "Pahuatun", Structure 10L-11

Sacrificio de jaguares sobre el Altar Q

Jaguar sacrifice on Altar Q

Grupo Principal aunque muchos otros están también fuera de esos límites. Este último gobernante —que era hijo de una mujer de Palenque (majestuosa ciudad Maya al Sur de México)— prácticamente reconstruyó la Acrópolis, dando su forma final a casi todos los edificios actualmente visibles. Las inscripciones referentes a su toma de posesión son las más numerosas en los anales de Copán. Comparando los textos alusivos a su asunción al poder se comprueba una variedad de glifos para su nombre y todos se leen *Yax Pac* o *Yax Pas* en Maya, lo que se traduce como "Madrugada" o "Sol Naciente".

En los últimos años el avance en el desciframiento de los jeroglíficos de Copán ha sido sin igual. En gran parte esto se ha debido al descubrimiento de nuevos textos jeroglíficos por los arqueólogos, así como por la estrecha colaboración de un equipo multidisciplinario de técnicos. Ello ha permitido asignar a los gobernantes sus propios monumentos y definir el período de sus reinados.

although many others are found outside its limits. This last governor —son of a royal woman from Palenque (majestic Maya city in Southern Mexico)— practically rebuilt the Acropolis, giving the present-day buildings their final form. The inscriptions which mention his accession to the throne are the most numerous in the history of Copán. Comparing the different texts which refer to his accession to the throne, a wide variety of glyphs for his name can be found, and they all read *Yax Pac* or *Yax Pas* in Maya, which is translated as "Dawn" or "Rising Sun".

I n the past few years the decipherment of the hieroglyphs in Copán has progressed immensely. This is largely due to the discovery of new hieroglyphic texts by archaeologists, and to close collaboration among a multidisciplinarian team of technicians.

This has made it possible to assign the rulers their own monuments and to define the period of their reigns.

Altar L, inconcluso, del último pretendiente al trono de Copán: U Cit Tok'
Altar L, unfinished, the last pretender to the throne of Copán: U Cit Tok'

Dios del Maíz en Estela H
Maize God on Stela H

Con base en la mas reciente información disponible es posible configurar la siguiente secuencia dinástica de Copán:

Based on the most recent available information, it is possible to outline the following dynastic sequence for Copán

SECUENCIA DINASTICA DE COPAN/DYNASTIC SEQUENCE OF COPAN

1° Gobernante/Ruler:	*Yax K'uk Mo'* (Quetzal Guacamayo/Quetzal Macaw)
Fechas/Dates:	426-435 d. C./A. D. (8.19.10.0.0—9.0.0.0.0)

2° Gobernante/Ruler:	Petate en la Cabeza/Mat Head (*Popol Hol*)
Fechas/Dates:	435-? d. C./A. D. (9.0.0.0.0—?)
Monumentos/Monuments:	Estela/Stela 63; Marcador/Marker 10L-26-Sub (*Mot Mot*)

3° Gobernante/Ruler:	Desconocido/Unknown
Fecha/Dates:	?-485 d. C./A. D. (?—9.2.10.0.0.)

4° Gobernante/Ruler:	*Cu Ix*
Fechas/Dates:	485-495 d. C./A. D. (9.2.10.0.0—9.3.0.0.0)
Monumentos/Monuments:	Estela 34; Banca Estr./Bench 10L-26-Sub (Papagayo)

5° Gobernante/Ruler:	Desconocido/Unknown

6° Gobernante/Ruler:	Desconocido/Unknown

7° Gobernante/Ruler:	Nenúfar Jaguar/Waterlily Jaguar
Fechas/Dates:	504-544 d. C./A. D. (9.3.10.0.0—9.5.10.0.0)
Monumentos/Monuments:	Estelas E, 15; Esc. Jero/Hiero. Stair. 9 y/and 55

8° Gobernante/Ruler:	Desconocido/Unknown

9° Gobernante/Ruler:	Desconocido/Unknown
Ascenso/Accession:	551 d. C./A. D. (9.5.17.13.7)
Monumentos/Monuments:	Altar X; Esc. Jero./Hiero Stair. 18

10° Gobernante/Ruler:	Luna Jaguar/Moon Jaguar
Ascenso/Accession:	26-Mayo (May) -553 d. C./A. D. (9.5.19.3.0)
Muerte/Death:	26-Oct.-578 d. C./A. D. (9.7.4.17.4)
Monumentos/Monuments:	Estela 9; Esc. Jero./Hiero. Stair. 9; 10L-16-Sub (Rosalila)

11° Gobernante/Ruler:	*Butz' Chan* (Humo Serpiente/Smoke Serpent; Humo Cielo/Smoke Sky)
Nacimiento/Born:	30-Abril (April) -563 d. C./A. D. (9.6.9.4.6)
Ascenso/Accession:	19-Nov.-578 d. C./A. D. (9.7.5.0.8)
Muerte/Death:	23-Enero (Jan.) -628 d. C./A. D. (9.9.14.16.9)
Monumentos/Monuments:	Estelas P, 7; Altar Y; Esc. Jero./Hiero. Stair. 8

12° Gobernante/Ruler:	Humo Jaguar/Smoke Jaguar (Humo/Smoke *Imix* Dios/God K)
Ascenso/Accession:	8-Feb.-628 d. C./A. D. (9.9.14.17.5)
Muerte/Death:	18-Jun.-695 d. C./A. D. (9.13.3.5.7)
Monumentos:	Estelas I, 1, 2, 3, 5, 6, 10, 12, 13, 19 y 23; Altares H', I', K; Escalera Jero./Hiero. Stair. 6, 7

13° Gobernante/Ruler:	18 Conejo/18 Rabbit (*Uaxac Lahun Ubac C'auil*)
Ascenso/Accession:	9-Julio (July) -695 d. C./A. D. (9.13.3.6.8)
Muerte/Death:	3-Mayo (May) -738 d. C./A. D. (9.15.6.14.6)
Monumentos/Monuments:	Estelas A, B, C, D, F, H, J, 4; Altar S; Estr./Str. 22; Campos de Pelota/Ballcourt II-B y/and III

14° Gobernante/Ruler:	Humo Mono/Smoke Monkey
Ascenso/Accession:	11-Jun.-738 d. C./A. D. (9.15.6.16.5)
Muerte/Death:	4-Feb.-749 d. C./A. D. (9.15.17.12.16)
Monumentos/Monuments:	Estr./Str. 22-A

15° Gobernante/Ruler:	Humo Caracol/Smoke Shell (*Cuc*; Ardilla/Squirrel)
Ascenso/Accession:	18-Feb.-749 d. C./A. D. (9.15.17.13.10)
Muerte/Death:	Desconocida/Unknown
Monumentos/Monuments:	Estelas M, N; Escalinata de los Jeroglíficos/Hieroglyphic Stairway (Estr. 26)

16° Gobernante/Ruler:	*Yax Pac* (Madrugada/Sunrise)
Ascenso/Accession	2-Jul.-763 d. C./A. D. (9.16.12.5.17)
Muerte/Death:	Desconocida pero anterior a/Unknown but prior to 820 d. C./A. D. (9.19.10.0.0)
Monumentos/Monuments:	Estelas 8, 11; Altares D', F', G1, G2, G3, O, Q, R, T, U, V, W', y/and Z; Estr./Str. 11,16,18, y/and 21-A

17° Pretendiente/Last Pretender:	*U Cit Tok'*
Ascenso/Accession	(?): 10-Feb.-822 d. C./A. D. (9.19.11.14.5)
Muerte/Death:	Desconocida/Unknown
Monumentos/Monuments:	Altar L

Estr./Str. = Estructura/Structure
Esc. Jero./Hiero. Stair. = Escalinata de los Jeroglíficos/Hieroglyphic Stairway (número de la grada/stair number)

Jeroglífico de Estela D
Hieroglyph from Stela D

Vasija del Período Clásico Tardío
(700-850 d. C.)
Vase from the Late Classic Period
(700-850 A. D.)

Vaso policromado, Período Clásico Tardío
Polycromed vase, Late Classic Period

Una nueva visión de Copán

Con las investigaciones arqueológicas intensivas auspiciadas por el Gobierno de Honduras desde 1975, se ha logrado demostrar que el crecimiento de Copán fue paulatino. La incorporación de numerosas familias en una sociedad unificada bajo el mando de un solo linaje real coincidió, aparentemente, con la introducción de la escritura jeroglífica y el reinado de *Yax Kuk Mo'* cerca del año 400 después de Cristo.

Tanto el linaje como su estilo propio de arte crecieron con vigor y prosperaron por más de cuatro siglos. La ciudad aumentó progresivamente en tamaño y diversidad a través del tiempo, culminando en un Estado que controlaba un vasto territorio.

Con el propósito de conocer mejor tanto el colapso como el crecimiento demográfico que le precedió, los proyectos arqueológicos en Copán, dirigidos por Gordon Willey, Claude Baudez y por William Sanders, comenzaron por estudiar no sólo la capacidad ecológica y las restricciones del pequeño valle fluvial en el cual está ubicado Copán, sino también el número, forma y función de los antiguos

A new vision of Copán

As a result of the recent intensive archaeological investigations sponsored by the Government of Honduras since 1975, it has been possible to demonstrate that the growth of Copán was gradual. The incorporation of diverse families into a unified society under the leadership of a single royal lineage apparently coincided with the introduction of hieroglyphic writing and the reign of *Yax K'uk Mo'*, around the year A. D. 400.

The lineage as well as the art style it developed grew at an accelerated pace and prospered for more than four centuries. The city grew progressively in size and diversity through time, culminating in a State which controlled a vast territory.

In order to gain a better insight on both the collapse and the demographic growth which preceded it, the archaeological projects of Copán, headed by Gordon Willey, Claude Baudez and William Sanders, began by studying not only the ecological setting and the carrying capacity of the small valley where Copán is located, but also the

*Pie de una estela,
con ornamentos de serpiente*

*Foot of stelae showing
serpent-head ornaments*

asentamientos que existieron dentro de sus límites.

Las investigaciones sobre el uso y potencial agrícola del valle indican que en las décadas finales Copán no era autosuficiente en su agricultura y, en consecuencia, tenía que depender de la importación de alimentos traídos de los valles vecinos. El registro sistemático de todas las ruinas de asentamientos residenciales precolombinos, representadas en detalle sobre mapas, confirman la alta densidad poblacional.

Sólo en los 24 km² que circundan el Grupo Principal han sido ubicados los restos de 3450 edificios, de los cuales más de 1000 se concentran en un núcleo urbano de 0.6 kilómetros cuadrados, inmediatamente alrededor de la Acrópolis. En la actualidad los arqueólogos han extendido el reconocimiento sistemático de sitios arqueológicos a un área de 135 km², alrededor del Grupo Principal, llegando a los límites geográficos naturales de lo que fue la principal área de influencia de Copán.

En esta región han detectado 1420 sitios con 4509 edificios. A su vez, las cifras poblacionales más actualizadas estiman que durante el octavo siglo d. C., en el momento de mayor ocupación, Copán llegó a ser una ciudad de más de

number, form and function of the ancient settlements which were found within its boundaries.

The investigations into the use and agricultural potential of the valley indicate that in its final decades, Copán was not self-sufficient in agriculture and, consequently, had to depend on the importation of food products from neighboring valleys. The systematic recording of all the ruins of Precolumbian residential settlements confirm the high population density of Copán.

In the 24 km² which surround the Main Group, the remains of 3450 buildings were located, of which more than 1000 are concentrated in a 0.66 km² urban nucleus immediately surrounding the Acropolis.

At present, archaeologists have extended the systematic reconnaissance of archaeological sites to an area of 135 km² extending out from the Main Group, all the way to the natural geographic limits of what was the main area of influence of Copán.

In this region 1420 sites containing 4509 buildings have been detected. Updated figures estimate that during the eighth century, in its period of greatest occupation, the population of Copán was in the order of 20 000

El mundo antiguo de Copán: chozas, templos y el agua como recurso vital
The ancient world of Copán: thatch-roofed dwellings, temples and the vital resource: water

20 000 habitantes, nivel que no volvió a conocer la zona sino hasta la década de 1980.

En el proceso de excavar estos vestigios arquitectonicos los arqueólogos han encontrado más de seiscientos enterramientos funerarios que han llegado a conformar la muestra más grande del Mundo Maya. Los esqueletos son estudiados por Rebecca Storey, quien estima el promedio de vida para los antiguos adultos Mayas entre 40 años, y el de su estatura en 160 cm para los hombres y 150 cm para las mujeres. Asimismo, la Dra. Storey ha podido notar que al final del Período Clásico en Copán (siglo VIII) la población sufría mucho de desnutrición y enfermedades, condiciones típicas de épocas difíciles.

Los mapas de las ruinas residenciales en el núcleo urbano permitieron la definición de dos grandes barrios: uno al noreste, que lleva el nombre de "Las Sepulturas", y el otro al suroeste llamado "El Bosque" (ambos corresponden al nombre tradicional dado por los vecinos actuales a cada localidad). En ambos barrios se detectó calzadas pavimentadas (*sacbes*) que se originan en el Grupo

people, a level which was not reached in the area again until the decade of the 1980s.

In the process of excavating these architectural remains archaeologists have found more than 600 burials which compose the largest sample of such in the Maya area. The skeletons are studied by Rebecca Storey, who estimates that the average life span for an adult Maya was forty years, and the average height was 160 cm for the men and 150 cm for the women.

Dr. Storey has also been able to show that towards the end of the Classic Period in Copán (eighth century), the population suffered from severe malnutrition and disease, typical indicators of harsh times.

The maps of the residential sites in the urban nucleus permitted the definition of two large enclaves or "barrios": one to the Northeast, known as *"Las Sepulturas"*, and another to the Southwest called *"El Bosque"* (both are local names for these localities). In both wards plaster-paved causeways (*sacbes*) were found which originated in the Main Group and served as principal avenues

Mil años transcurridos sobre el río Copán: 1994
One thousand years later, the Copán River: 1994

Principal y que sirvieron de principales avenidas de acceso a este recinto del poder político, social y religioso de la centenaria metrópoli. A su vez, la arquitectura, así como los entierros en los barrios, sugieren marcadas diferencias de clase y prestigio entre sus habitantes.

Bajo la dirección de William Sanders y David Webster, a partir de Diciembre de 1980 se inició un programa ambicioso de excavaciones intensivas y restauración en el Barrio de Las Sepulturas. Esta etapa se orientó a despejar interrogantes sobre la estructura social de la sociedad Maya del Período Clásico y, además, a restaurar y volver accesible a los visitantes decenas de edificios.

La investigación ha incluido desde la más humilde morada de un campesino hasta los imponentes palacios de los gobernantes en el Grupo Principal. Similarmente, los trabajos de inspección de la antigua ciudad se extienden más allá de los linderos del Valle de Copán, a fin de precisar el alcance de su influencia.

to this sanctuary of political, social and religious power. Both the architecture and the burials in the enclaves suggest a marked tendency towards social stratification.

William Sanders and David Webster began an ambitious program of intensive excavations and restoration in the *Las Sepulturas* zone in 1980.

These investigations were oriented towards resolving a series of questions about the social structure of ancient Maya society during the Classic Period as well as towards the restoration of several buildings for presentation to visitors.

The investigations have spanned the spectrum from the humble dwellings of farmers to the majestic palaces of the rulers in the Main Group. In addition, the scrutiny of the ancient city extended beyond the limits of the Copán Valley in order to determine precisely the extent of its influence.

Cripta funeraria encontrada en Las Sepulturas
Funerary crypt found in Las Sepulturas

La vida en un barrio de Copán: Las Sepulturas

Las Sepulturas es el barrio localizado al noreste del Grupo Principal y consta aproximadamente de 40 conjuntos residenciales.

De estos han sido investigados 18, representando cerca de 100 edificios con más de 200 cuartos, que conforman la muestra más completa de arquitectura doméstica urbana conocida entre los Mayas.

Los conjuntos habitacionales seleccionados parecen reflejar fielmente a las clases sociales entonces existentes, quedando agrupados en cuatro tipos, de los más pobres a los más ricos.

El grupo escogido como representante de la clase acaudalada revela una arquitectura compleja y sofisticada, incluyendo edificios de mampostería con bóvedas de arco Maya y una de las más extensas secuencias ocupacionales del Valle: casi 2000 años de historia en un solo lugar.

Las excavaciones se iniciaron en los edificios más voluminosos del grupo, descubriéndose una exquisita banca esculpida que hoy es exhibida en el Museo de Copán Ruinas. Esta fue elaborada en el año 780 de nuestra era y dedicada a un

Life in an urban enclave of Copán: Las Sepulturas

as Sepulturas is a residential zone located Northeast of the Main Group and is comprised of approximately forty residential compounds.

Of these, eighteen have been investigated, representing nearly 100 buildings with more than 200 rooms, which makes this the most complete sample of urban domestic architecture excavated in the Maya area.

The residential compounds which were selected seem to accurately reflect the existence of at least four social classes, grouped from the poorest to the richest.

The compound chosen as representative of the wealthy class reveals a complex and sophisticated architecture, including dressed masonry buildings with corbelled vaults and one of the most extensive occupational sequences in the Valley: almost 2000 years of history in one place.

The excavations were begun in the largest buildings of the group, where an exquisitely carved bench, at present being displayed at the Museum of Copán Ruins, was discovered. It was

Modelo de un arco Maya
Model of a Maya vault

personaje que formaba parte de la corte del 16° rey de Copán, *Yax Pac*. Los jeroglíficos indican que este noble debió ser un experto en el calendario, quizás un sacerdote y escribano.

La vivienda de este ilustre personaje consistía en una suntuosa estructura de bloques de piedra, un palacio con su techo abovedado y una fachada elaboradamente esculpida. Se cree que la mayoría de las habitaciones interiores del palacio estuvo destinada al alojamiento de sus esposas y prole, pues según los cronistas españoles del Siglo XVI en la sociedad Maya la poligamía estaba ampliamente establecida entre la nobleza. Este hecho es confirmado por la enorme muestra de entierros en Las Sepulturas (más de 250), en la cual los conjuntos residenciales de la élite contienen una cantidad desproporcionada de mujeres, como esperaríamos en una sociedad polígama.

built in the year A. D. 780 and was dedicated to an individual who belonged to the court of the sixteenth ruler of Copán, *Yax Pac*. The hieroglyphs indicate that this noble must have been a calendar expert, perhaps a priest and scribe.

The living quarters of this prominent individual consisted of a magnificent structure of stone masonry —a vaulted-roof palace with an elaborately engraved façade.

It is believed that the majority of the rooms of this palace were used by the wives and children of this noble. Spanish chroniclers of the sixteenth century reported that polygamy was firmly instituted within the nobility of Maya society.

This is confirmed by the immense number of burials in *Las Sepulturas* (more than 250), which contain a disproportionate number of women, as would be expected in a polygamous society.

Escultura del Escribano
Sculpture of the Scribe

Banca en el Palacio del Escribano
Bench in the Palace of the Scribe

Palacio del Escribano/Palace of the Scribe

Las excavaciones en el mismo sitio revelaron una serie de otros edificios residenciales construidos alrededor de pequeños patios rectangulares y anexados al patio del gran señor. La analogía histórica con los grupos Mayas del Período Colonial hacen pensar que probablemente fueron ocupados por los hijos mayores del noble, sus familias y servidumbre.

Un edificio cercano al palacio del sacerdote-escribano contenía una hacha y un yugo de piedra que eran objetos rituales vinculados con el juego de pelota. Sanders y Webster piensan que aquel servía de sede para un equipo de jóvenes deportistas al servicio del jefe del conjunto residencial.

El análisis preliminar de varios edificios de este conjunto indica que estuvieron habitados por un grupo étnico diferente, quizás Lencas, quienes probablemente guardaban una relación de servidumbre con los Mayas. A pesar de que estos vivían contiguo a los nobles, en el conjunto residencial más complejo y elegante fuera del Grupo Principal de Copán, y de que importaban productos (vasijas y silbatos de la parte central de Honduras: Sula-Yojoa-Comayagua) de muy alta calidad, su área de residencia estaba arquitectónicamente restringida

The excavations in the same compound revealed a series of other residential buildings erected around small rectangular courtyards and annexed to that of the great lord. Further historical analogy with the Maya of the Colonial Period would indicate that they were home to the older sons of the noble, their families and servants.

One building near the palace of the scribe contained an ax and a stone yoke, ritual objects used in the ball game. Sanders and Webster believe that this building served as headquarters for a team of young athletes at the service of the head of this residential compound.

A preliminary analysis of several other buildings in this complex indicates that they were inhabited by a different ethnic group, probably *Lencas*, who held a subservient relationship with the Maya.

Although they lived right next to the nobles, in the most elaborate and elegant residential complex outside the Main Group of Copán, and imported high-quality products (such as pots and whistles from central Honduras [Sula-Yojoa-Comayagua]), their living quarters were architecturally restricted in their access to the other courts and buildings.

Residencias Mayas en Las Sepulturas/Maya residences in Las Sepulturas

en cuanto a su comunicación con los otros patios y edificios.

La presencia de fragmentos de concha, agujas, perforadores y taladros en los pisos de los patios entre los edificios implica que la especialidad de los Lencas era la manufactura de ornamentos de concha y la fabricación de tejidos, artículos de cuero o cestas para los Mayas. Estos hallazgos llevan a considerar que este grupo indígena del centro de Honduras tuvo mucho más que ver con la historia de Copán de lo que hasta ahora se suponía.

En estos conjuntos residenciales también se ha encontrado grandes cantidades de basureros con desechos de la vida cotidiana de sus ocupantes: las ollas, jarras, platos y sartenes de cerámica, usados para almacenar, preparar y servir alimentos; las piedras de moler con sus respectivas manos, utilizadas para procesar el maíz y otras especies en la elaboración de tortillas, tamales, y otros alimentos; las hojas de obsidiana o vidrio volcánico, aplicadas como instrumentos cortantes para el procesamiento de comida (ej., el destace de animales); y, ocasionalmente, los restos de algunos de estos alimentos (p. ej., maíz, frijoles, jutes, espinas de pescado y huesos de animales, tales como el venado de cola blanca, el

The presence of fragments of shell, needles, awls and drills on the floors of the courtyards between the buildings implies that the *Lencas* specialized in the manufacture of shell ornaments and the preparation of textiles, leather articles and baskets for the Maya.

These findings lead us to believe that this indigenous group from central Honduras was more closely tied to the history of Copán than had been previously supposed.

Also found in these residential compounds were numerous middens or trash heaps with the waste products of the daily life of their occupants: cooking utensils such as ceramic jars, bowls, pots and pans used to store, prepare and serve meals; grinding stones used to process corn and other grains for *tortillas*, *tamales* and other foods; obsidian (volcanic glass) and flint knives used as cutting instruments for the processing of meat (for example, the skinning and butchering of animals); and, occasionally, the actual remains of some of these meals (for example, carbonized corn, beans, freshwater snails, fish and animal bones such as the white-tailed deer, pocket gopher, wild boar, armadillo and wild hen (*chachalaca*).

Con excepción del metal moderno,
comidas tradicionales, herencia milenaria
With exception of the metal utensils,
traditional meals, a millenary heritage

tepescuinte, el jabalí o chancho de monte, el cusuco o armadillo, y el ave chachalaca). Muchos de estos elementos reflejan costumbres dietéticas y de preparación de alimentos que perduran hasta la actualidad entre los moradores de Copán. Asimismo señalan al extenso comercio precolombino que traía tanto productos esenciales para la vida diaria como objetos de lujo desde tierras muy distantes.

Las exploraciones en Las Sepulturas brindan una nueva perspectiva sobre la evolución de los conjuntos domésticos Mayas, la composición de los grupos sociales que vivieron en ellos y sus actividades económicas, sociales, políticas y religiosas.

La riqueza de la información obtenida a través de las excavaciones intensivas conllevará muchos años más de análisis y una apreciación cada vez más detallada de la vida cotidiana de los Mayas en Copán.

Many of these elements reflect dietary habits and food processing techniques which still persist today among the inhabitants of Copán. They also reflect the far-reaching Precolumbian trade which brought basic products for everyday life as well as luxury goods from distant lands.

The explorations in *Las Sepulturas* have given us a new perspective on the evolution of Maya domestic compounds, the composition of the social groups who inhabited them, and their economic, social, political and religious activities.

The wealth of information obtained through intensive excavations will require several more years of analysis and provide an even more detailed understanding of the daily life of the Maya at Copán.

Detalle del Popol Nah, *fachada con diseño de petate*/Popol Nah, *detail. Mat design in the façade*

El recinto del poder real: la Acrópolis

Con la gran apertura en los conocimientos del quehacer diario de los Mayas, obtenida por los trabajos de Sanders, Webster y sus colegas en el valle de Copán, y con los grandes avances en el desciframiento de los textos jeroglíficos, los arqueólogos han regresado a trabajar en el Grupo Principal con un enfoque científico más comprensivo que el que tuvieron los investigadores de antaño. Asimismo, quizás más intensa aún ha sido la preocupación por salvaguardar los más grandiosos vestigios de la antigua ciudad y su extraordinaria escultura.

Usando técnicas desarrolladas en la excavación y restauración de los edificios en Las Sepulturas, un equipo de profesionales encabezados por William Fash, Barbara Fash y Rudy Larios ha vuelto a estudiar muchas de las estructuras excavadas por las expediciones arqueológicas del siglo XIX y primera mitad del XX, con excelentes resultados.

Entre otros logros se ha podido sortear, catalogar, estudiar y salvaguardar miles de fragmentos de escultura caídos de los edificios y que antes estaban regados en

Sanctuary of royal power: the Acropolis

With the great insights on the daily lives of the Maya obtained through the work of Sanders, Webster and their colleagues in the Valley of Copán, archaeologists have returned to work at the Main Group with a more comprehensive scientific focus than that of their predecessors. Furthermore, the concern nowadays is towards safeguarding the greatest vestiges of this ancient city and its extraordinary sculpture.

Using techniques developed in the excavation and restoration of the buildings in *Las Sepulturas*, a team of professionals led by William Fash, Barbara Fash and Rudy Larios has gone back to study several of the structures in the Main Group excavated by archaeological expeditions in the nineteenth century and first half of the twentieth, with excellent results.

Thousands of fragments of sculpture fallen from the buildings, which were previously scattered throughout the site, have been sorted, inventoried, studied and stored.

el sitio. Estos ahora pueden ser asignados a sus construcciones de origen, a la vez que sus motivos nos permiten identificar el propósito original, así como el nombre del gobernante que los mandó construir.

De esta manera se ha podido verificar que tanto el Templo 10L-26 (de la Escalinata Jeroglífica) como el 10L-16 (en la parte más alta de la Acrópolis) estuvieron dedicados a la guerra, la muerte y la veneración de los antepasados (principalmente los reyes fallecidos); que el Templo 10L-18 es el Templo Funerario de *Yax Pac*, quien es exaltado como guerrero en las esculturas de sus paredes; que el Templo 10L-22 es marcado como una "Montaña Sagrada," sitio de rituales y sacrificios para los reyes que ejercían sus practicas entre los símbolos de todo el cosmos Maya; y que la Estructura 10L-22A, el *Popol Nah*, es la "Casa de la Comunidad" en donde el monarca se reunía con sus principales asesores para tomar las decisiones prioritarias del Estado.

Asimismo, mediante túneles se ha penetrado al interior de las pirámides que servían de basamento para los palacios y templos, en busca de comprender las raíces tempranas de la ciudad y su evolución histórica.

They can now be assigned to their original constructions, and their decorative motifs have allowed the identification of the function of those structures as well as the names of the rulers who commissioned them.

In this way it has been possible to show that both Temple 10L-26 (of the Hieroglyphic Stairway) and Temple 10L-16 (in the uppermost central part of the Acropolis) were dedicated to war, death and the worship of ancestors (chiefly deceased kings); that Temple 10L-18 was the Funerary Temple of *Yax Pac*, who is exalted as a warrior on two of its panels; that Temple 10L-22 is marked as a "Sacred Mountain", where the kings performed rituals and sacrifices amidst symbols of the Maya cosmos; and that Structure 10L-22A, the *Popol Nah*, was the "Community House" where the sovereign met with his chief advisors to deliberate on matters of state.

Likewise, through tunneling into the interior of the pyramids (which served as building platforms for the palaces and temples), it has been possible to better understand the origins of the city and its historical evolution.

Lado Norte del Templo 22/North Side of Temple 22

Mascarón del Sol, Patio Oriental de la Acrópolis
East Court of Acropolis. Sun Mask

Aquí un equipo encabezado por Robert Sharer ha encontrado cinco divisiones anteriores de la Acrópolis, con conjuntos enteros de patios y edificios que datan hasta del cuarto siglo de nuestra era y que evidencian el poder de los primeros reyes copanecos. La mayor parte de los edificios y muchos de los basamentos fueron destruidos por los Mayas para cubrirlos con construcciones nuevas. Sin embargo, en algunos casos estos fueron conservados casi a la perfección, reteniendo detalles tan delicados como esculturas de fachadas, con repellos y colores aún vivos y en su lugar.

La riqueza de esta información complementa los datos del valle para permitirnos una visión en conjunto de los gobernantes y los gobernados en aquella antigua sociedad Maya de Copán.

A team led by Robert Sharer has found five earlier versions of the Acropolis, with complete sets of courtyards and buildings, some of which date to the fourth century A. D. and which testify to the power of the first Copanec kings. The majority of the buildings and their respective platforms were destroyed by the Maya to cover them up with new constructions. In some cases, however, these were preserved almost to perfection, retaining such delicate details as the stucco sculptures of their facades, with details of color and nuance still in place.

The wealth of this information complements the data from the valley to permit a comprehensive vision of the rulers and the ruled in this ancient Maya city-state.

Mascarón de estuco en Rosalila/Stuccoed masks from Rosalila

Los secretos del Templo 10L-16

Un ejemplo de las investigaciones realizadas recientemente en el Grupo Principal es el de la Estructura 10L-16 ó Templo 16. Esta gigantesca construcción de 20 metros de altura está ubicada al centro de la Acrópolis, entre el Patio Oriental y el Occidental. Su base tiene aproximadamente 40 metros de ancho y es prácticamente cuadrada en planta. La fachada principal mira hacia el poniente y es dominada por una escalera de 46 gradas, al pie de la cual está el Altar Q.

Las investigaciones iniciales de este monumento se remontan a la década de 1880, cuando el explorador Inglés Alfred P. Maudslay excavó una parte del templo, en la cima de la pirámide. Gracias a su minuciosa labor de registro fotográfico —muy avanzado para su época— hoy todavía podemos ver la condición en que el Templo 16 se encontraba en el instante de su descubrimiento, hace más de un siglo. Lamentablemente, tras la visita de Maudslay la naturaleza volvió a reclamar el terreno y se reinició el proceso de destrucción.

The secrets of Temple 10L-16

An example of recent investigations in the Main Group are those of Structure 10L-16 or Temple 16. This gigantic construction, which stands twenty meters tall, is placed at the center of the Acropolis, between the East and West Courts. Its base is approximately forty meters wide and its layout is practically square. The main façade looks to the West and is dominated by a forty-six step stairway, at the bottom of which sits Altar Q.

The first investigations of this monument date back to the 1880s, when the English explorer Alfred P. Maudslay excavated part of the temple, in the summit of the pyramid. Owing to the thoroughness of his photographic recordings —very advanced for his time— we can appreciate the condition of Temple 16 when it was discovered more than one hundred years ago. Unfortunately, after Maudslay's visit, nature once again took over and the process of destruction was reinitiated.

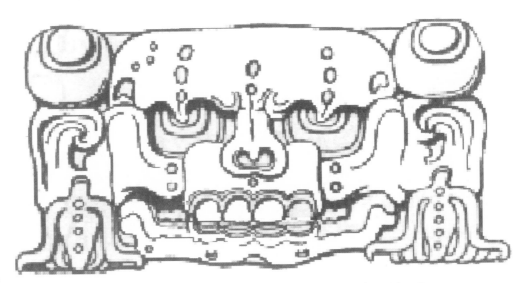

Representación de la muerte en Altar R/Death head on Altar R

Para evitar aún más daño al templo y consolidar lo expuesto por Maudslay y sus sucesores, en 1988 comenzaron nuevas investigaciones en esta estructura. Las muestras de cerámica obtenidas a través de excavaciones demuestran que fue construida durante la Fase Coner, entre 700 y 850 d. C.

Esto concuerda con la estratigrafía de pisos, la cual comprueba que la pirámide fue edificada en su última versión al mismo tiempo que el Altar Q y nos permite asignar a ambos una misma fecha: 776 d. C.,—cuando fue dedicado el altar— durante el reinado de *Yax Pac*.

La escultura del templo refuerza aún más la estrecha relación que este tiene con el altar. Por medio de excavaciones extensas controladas han sido recuperados más de 1400 fragmentos de escultura caídos de las fachadas del edificio. El tema principal de estos es el Dios de las Gafas —conocido como *Tlaloc* en las tierras altas de México y entre los Mayas eminentemente vinculado con la guerra— el que fue representado en seis diferentes formas sobre el templo y es personificado por *Yax K'uk Mo'* en el Altar Q.

Entre los otros motivos pétreos que decoraban al templo hay petates, plumas, abanicos, cruces *kan*, lazos, conchas, escudos con serpientes —idénticos

In order to avoid further deterioration of the temple and to consolidate the discoveries of Maudslay and his successors, new investigations were begun in this structure in 1988. The samples of pottery obtained through the excavations show that it was built during the Coner Phase, between A. D. 700 and A. D. 850.

This agrees with the plaza floor statigraphy, which proves that the last version of the pyramid was built at the same time as Altar Q, in A. D. 776, during the reign of *Yax Pac*.

The sculpture of the temple reinforces the close stratigraphic relationship. Through extensive controlled excavations, more than 1400 fragments of sculpture fallen from the façades of the building have been recovered. Their main theme is the Goggled-Eyed God —known as *Tlaloc* in the highlands of Mexico— a deity primarily associated with warfare among the Maya, represented in six different forms on the temple and personified by the goggle-bearing *Yax K'uk Mo'* on Altar Q.

Other motifs which decorate the temple include mats, feathers, fans, *kan* crosses, ropes, shells, shields with serpents —identical to the one used by

al que usa *Yax K'uk Mo'* en el Altar Q— y figuras antropomorfas con lazos (víctimas de sacrificio). A su vez la escalera frente al basamento tenía dos secciones esculpidas, una representando una percha de calaveras —símbolos de muerte— o *tzompantli*, y otra que aparentemente era un panel dedicado a la veneración de antepasados. Este último hace eco al panel esculpido atrás de la banca del cuarto principal del templo, que representa la serpiente usada ritualmente como medio de comunicación con los ancestros. Barbara Fash ha sugerido que una de las figuras con gafas encontradas por Maudslay en este mismo cuarto era una representación de *Yax K'uk Mo'* y que estaba al centro del panel, saliendo de las fauces de la serpiente. Ello también recalcaría el mensaje del Altar Q en relación a la veneración del Primer Gobernante.

Consecuentemente, los temas principales de este grandioso templo de *Yax Pac* eran la guerra, la muerte y el sacrificio en el contexto de la veneración de los antepasados y principalmente de *Yax K'uk Mo'*. Es evidente que en estos monumentos públicos el último gobernante quería no sólo sembrar temor entre su audiencia sino también legitimizar su derecho al trono a través de su asociación con el fundador de la dinastía.

Yax K'uk Mo' on Altar Q— and anthropomorphic figures with ropes (victims for sacrifice). The stairway in front of the pyramid has two engraved sections, a lower one representing a stack of skulls —symbols of death— or *tzompantli*, and a higher one representing a panel dedicated to the worship of ancestors. This reminds us of the engraved panel behind the bench of the main room of the temple, which represents the "vision serpent" associated with rituals of ancestor worship where it acts as the means of communication. Barbara Fash has suggested that one of the figures with goggles found by Maudslay in that same room is a representation of *Yax K'uk Mo'*, and that it was he who emerged from the jaws of this serpent. This would underscore the message of Altar Q with respect to the veneration of the First Ruler.

Consequently, the main themes of this majestic temple built by *Yax Pac* were warfare, death and sacrifice in the context of ancestor worship, and chiefly the veneration of *Yax K'uk Mo'*. It is evident that with these public monuments the last ruler wanted not only to instill fear among his audience but to legitimize his right to the throne through his association with the founder of the dynasty.

Base para incensario con forma de jaguar.
Ofrenda encontrada en Rosalila
Censer base in the shape of a jaguar.
Offering found in Rosalila

Ofrenda de concha y jade. Rosalila
Offering of shell and jade. Rosalila

Rosalila

En el interior del basamento de la Estructura 10L-16 se encontró una serie de construcciones anteriores, la más interesante de las cuales lleva el nombre de "Rosalila". Este templo es el primer ejemplo, descubierto en Copán, de una estructura completa, con su arquitectura y escultura intactas, ya que los Mayas lo aterraron con enorme cuidado antes de levantar sobre él otra edificación.

Se trata de un edificio de tres cuerpos, montados uno sobre el otro a manera de un pastel de boda. Desde el piso estucado en su base se ha trazado hasta una altura de 12.9 metros lo que equivale en términos modernos a una construcción de más de cuatro pisos.

El cuerpo inferior del templo tiene un tamaño en planta de 12.5 por 18.5 metros, con su eje principal orientado de Norte a Sur. Su altura es de 5.7 metros, interrumpidos por una moldura que corre alrededor del edificio y que marca la parte superior de las puertas.

Consta de cuatro cuartos interiores cuyo tamaño promedio es de 2.4 por 11.2 metros, los cuales están conectados entre sí por pasillos internos.

Rosalila

Inside the stepped pyramid of Structure 10L-16, a series of previous constructions was found, the most interesting bearing the name *Rosalila*.

This temple is the first example of a complete structure discovered at Copán. Its architecture and sculpture are intact, as the Maya buried it with enormous care before covering it over with another structure.

It is a three-tiered construction with each level mounted one on top of the other as in a wedding cake. From its base to the top it measures 12.9 m, which is equivalent in modern terms to a building more than four stories high.

The inferior level of the temple measures 12.5 by 18.5 meters, with its main axis on a North/South line. It has a height of 5.7 meters, interrupted by a molding which runs around the building above the doorways.

There are four rooms to its interior and their average size is 2.4 by 11.2 meters. These are interconnected by narrow passageways.

Tanto el cuarto Oeste como el Sur tienen acceso al exterior.

El segundo cuerpo (o "segundo nivel o piso") se alza 3.7 metros sobre el primero y mide 5x11 m, dejando en sus afueras un corredor limitado por un pequeño parapeto. Al igual que el cuerpo inferior, este tiene una moldura que lo rodea a mitad de su altura y que sirve de marco a su única puerta en el lado Norte. Sólo cuenta con un cuarto que mide 2.4x8.6 metros en planta.

El tercer cuerpo es el menos preservado de Rosalila, por lo cual sus rasgos sólo son conocidos en forma aproximada. Su altura es de 3.5 m, con una planta de 4.3x8.2 metros. En su interior había tres divisiones diminutas, de las que solamente se conserva dos. Aunque este es el elemento principal de la cresta decorativa del templo, el segundo cuerpo tampoco parece haber tenido otra función más que apoyar estructuralmente a aquel, ya que por ningún lado se pudo encontrar un acceso entre el segundo cuerpo y el primero. Es probable que la mayor parte de los templos copanecos haya tenido crestas similares, pero hasta ahora no se tenía ejemplos concretos de ello.

Los cuartos de Rosalila están muy bien preservados, con sus paredes y bó-

Both the West and the South rooms have accesses to the outside.

The second level rises 3.7 m over the first and measures 5 x 11 m. On the outside it has a broad corridor limited by a small parapet. Just as the lower level, it has a molding located halfway up its façade which serves as an upper frame for its only doorway located on the North side. It has an only room which measures 2.4 x 8.6 m.

The third story construction is the least well preserved, so that its features are only tentatively known. Its height is 3.5 m, with a ground plan of 4.3 x 8.2 m. In its interior there were three small divisions, of which only two are preserved.

Although this is the main element of the decorative roof-comb of the temple, the second level seems to have had no other purpose but to structurally support the third, since no access between the second and first floors was found.

It is probable that the majority of the Copanec temples had similar roof-combs, but until now there were no examples of it.

The rooms of *Rosalila* are well preserved, with their stone quarried walls

Excéntrico encontrado en Rosalila
Eccentric flint found in Rosalila

vedas de piedra canteada y superficies repelladas con estuco. Además, en los del primer nivel hay pintura roja decorando las paredes, aunque esta no sube más allá del arranque de las bóvedas.

De aquí para arriba el estuco está sin pintar y luce un color entre grisáceo y negro. Asimismo, se ha encontrado las huellas, con restos orgánicos descompuestos, de las vigas de madera rolliza usadas para amarrar las bóvedas.

La fachada principal del Templo mira hacia el poniente y es dominada, en su eje central, por una puerta. Al entrar aquí y seguir el trazo de la habitación hacia el Sur se encontró un muro rústico sellando el acceso al pasillo entre este cuarto y el del lado Sur.

Al quitar ese muro apareció un nicho, delineado con piedras de río, dentro del cual había una ofrenda depositada al momento de sepultar el templo.

La ofrenda estaba constituida por nueve "excéntricos" y tres cuchillos de pedernal, tres conchas marinas, una espina de manta-raya, una cuenta de jade y gran cantidad de restos orgánicos, entre los cuales se ha podido reconocer los primeros fragmentos de tela encontrados en Copán —usados para envolver la ofrenda y coloreados en verde-azul—; pita —atada a las base de uno de los

and vaults beautifully coated with stucco. Furthermore, the walls of the first-level rooms are decorated with red paint, although this color does not go higher than the vault spring. From that point on, the stucco has no color and displays a rather grayish/black color. Traces of round wood beams used to tie the sides of the vaults together, have been found.

The main façade of the Temple faces West and is dominated, on its central axis, by a doorway. Upon entering here and tracing the outline of the room towards the South, a crudely built stone wall was found blocking the access to the passageway between this room and the one to the South.

When the wall was removed, a niche of river cobbles appeared, and inside it was an offering deposited to commemorate the burial of the temple.

The offering consisted of nine "eccentric" flints, three chert knives, three oyster shells, a stingray spine, a jade bead and a great quantity of organic remains, among which were the remains of a brightly-dyed blue-green fabric that was used to wrap the entire offering. Also identified were twine —tied to the base of one of the knives; bark cloth with red painting —also used to wrap the

Mascarón de Rosalila, en la profundidad del Templo 16
Mask from Rosalila, *in the heart of Temple 16*

cuchillos y uno de los excéntricos—; madera —un pedacito todavía pegado a la base de uno de los cuchillos—; corteza de árbol con pintura roja —también utilizada para envolver la ofrenda—; escamas, espinas y vértebras de pez (estas últimas identificadas como de tiburón); restos de semillas o nueces y algunas cascaritas muy delgadas que podrían ser papel.

Tampoco se puede descartar la posibilidad de que algunos de los fragmentos sean de piel de animal. Además de las muestras orgánicas se recolectó una cantidad sustancial del pigmento pul-

offering; scales, spines and fish vertebrae (the latter identified as belonging to a baby shark); seed pods or nuts and some very thin layered remains which could be paper.

The possibility that some of these vestiges are animal hide cannot be discarded. Besides the organic specimens, a substantial quantity of pulverized pigment, applied to give the offering color, was collected.

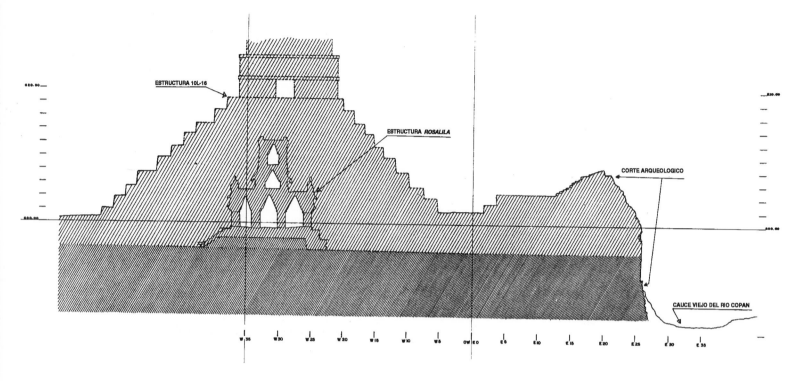

ESTRUCTURA 10L-16

ESTRUCTURA *ROSALILA*

CORTE ARQUEOLOGICO

CAUCE VIEJO DEL RIO COPAN

Localización de Rosalila dentro del Templo 16 en el corazón de la Acrópolis/Location of Rosalila *inside Temple 16 in the heart of the Acropolis*

Siguiente página:
un excéntrico
Following page: an
eccentric flint

verizado aplicado para colorear la ofrenda; este era principalmente verde-azul pero también había rojo.

De todos estos objetos los mas extraordinarios son los excéntricos. Tallados a pedernal con percusión o golpe, usando martillos de diferentes materiales, estos instrumentos reflejan la tradición más vieja del hombre en modificar la piedra para producir utensilios. Sin embargo en ellos la función ya no es practica, ya no sirven como cuchillos o lanzas, como en el inicio de su género, sino como objetos rituales. En este campo los maestros Mayas desarrollan un arte en el cual no tienen par, ya que logran lo imposible al imprimir vida y movimiento a una piedra tan dura.

This was chiefly blue-green, but there was also some red pigment.

The most extraordinary objects of this offering are the "eccentrics". Carved in flint by percussion, using hammers of different materials, these instruments reflect the oldest tradition of mankind: modifying stone to produce tools. Their function, however, is not a practical one; they are not used as knives or spears but as ritual objects.

In this field, the Maya excelled by giving artistic life and movement to a stiff rock.

Lo más seguro es que estos excéntricos hayan sido atados a mangos de madera y utilizados como cetros ceremoniales. En cada uno hay por lo menos el rostro de un ser humano en perfil, que probablemente es el retrato de un gobernante. Sobre la frente de éste normalmente aparece una pequeña voluta que indica que ya ha muerto, por lo que se supone que eran utilizados en ritos vinculados con la veneracion de antepasados. Varios de ellos también recuerdan, con sus formas exóticas, al árbol sagrado de los Mayas, la Ceiba, lo cual cobra sentido ya que este árbol unía al inframundo de la muerte con el mundo intermedio de los vivientes, de igual manera que lo hacían los excéntricos en las ceremonias.

Cuando Rosalila fue sepultada se le brindó un trascendental homenaje ya que se se le aterró con tanto cuidado que se preservó no sólo su arquitectura sino también su decoración externa: sobre las fachadas de Rosalila han sido descubiertos enormes mascarones de estuco, los cuales han venido siendo revelados y expuestos con suma precaución.

El tema central de esa decoración es el pájaro celestial, o *Vukub Caquix*, que coronaba la parte superior del universo Maya y que descansaba sobre las ramas del árbol sagrado. Los ojos del ave están representados al centro del segundo cuerpo de Rosalila. Entre estos emerge el pico, que se proyecta hacia abajo.

En el primer cuerpo, arriba y a los costados de la puerta están representadas las alas, a manera de cabezas de serpientes con plumas saliendo de sus

It is probable that these "eccentrics" were attached to wooden shafts and used as ceremonial scepters. Each of them has at least one human figure in profile, presumably the portrait of a ruler. On his forehead there is a small scroll which indicates that he is dead, leading us to believe that they were used in rituals related to the worship of ancestors.

Several of them remind us, with their exotic shapes, of the sacred tree of the Maya, the Ceiba. This stands to reason as this tree linked the underworld of the dead with the middle world of the living, just as did the "eccentrics" in the ceremonies.

When *Rosalila* was buried it was paid a special tribute: it was buried with so much care that not only its architecture was preserved but its external decoration as well. On its façades enormous stucco masks have been uncovered with great care.

The central theme of this decoration is the celestial bird or *Vukub Caquix*, which crowned the upper part of the Maya universe and rested atop the branches of the sacred tree. The eyes of the bird are represented towards the center of the second level of *Rosalila*. Between them emerges the beak, which protrudes downward.

The wings are represented on the first floor, on top and on the sides of the doorway, resembling serpent heads with feathers coming out of their mouths.

fauces. Entre las plumas brota un pequeño medallón con el rostro en perfil del dios del sol, *kin*, rodeado por un cartucho del símbolo *yax*.

El tercer cuerpo de Rosalila representa al penacho del pájaro celestial y es dominado por una máscara zoomórfica con su mandíbula despellejada, lo que podría ser otro aspecto de la misma ave. A su vez, este rostro macabro es enmarcado por los cuerpos de dos serpientes que probablemente forman el arco del cielo, como lo hacen en el portal interno del Templo 10L-22. De esta manera se acentúa la función cósmica y religiosa de este edificio.

En las esquinas del edificio hay más serpientes, con sus fauces abiertas, de las que salen figuras antropomórficas. Asimismo, a la vuelta de las esquinas, en las fachadas Norte y Sur, surge una figura humana emergiendo de un nicho —probablemente representando a un gobernante difunto que torna del inframundo. Contiguo a esta figura hay otra serpiente, como las de la fachada principal, y debajo del ojo de esta aparece, como elemento nuevo, un "bulto de sacrificio" dominado por un cuchillo. Este conjunto de elementos nos recuerda los sacrificios humanos en el contexto de la veneración de los antepasados, como en los Templos 16 y 26.

Bajo la moldura y a los lados de la puerta se manifiestan dos mascarones más. Aquí se puede distinguir, a menor escala, al ave celestial, vista de frente con su pico abierto de par en par, de donde brota el rostro del Dios "D" o

Among the feathers emerges a small medallion with the face in profile of the sun god, *kin*, surrounded by a cartouche of the symbol *yax*.

The third story of *Rosalila* represents the headdress of the celestial bird and is dominated by a zoomorphic mask with its fleshless jaw, which could very well be another aspect of the same bird. In turn, this grotesque face is framed by the bodies of two serpents which probably form a heavenly arch, as is the case in the internal portal of Temple 10L-22. In this way, the cosmic and religious function of this building is accentuated.

On the corners of the building there are more bare-fanged serpents, from which anthropomorphic figures arise. Likewise, in the North and South façades a human figure emerges from a niche —probably representing a dead ruler who is being conjured up from the underworld. Next to this figure there is another serpent and under its eye there is a different element —a sacrificial "bundle" dominated by a knife. This group of elements reminds us of the human sacrifices within the context of ancestor worship, as in Temples 16 and 26.

Under the medial molding of the first story and to the sides of the doorway there are two more masks. Here a front view of the celestial bird is visible, with its beak wide open, regurgitating an image of God "D" or *Itzamná*.

Fachada Oeste de Rosalila/Western façade of Rosalila

Itzamná. A los costados del rostro hay dos enormes orejeras cuadradas, a la vez que sobre el mismo y formando parte del pico del ave se ve, a manera de penacho, una cara de rasgos reptiloides y luego unos pequeños rostros antropomorfos unidos por hiladas de cuentas. Aquí también las alas del ave son personificadas como serpientes emplumadas, debajo de

On the sides of his face there are two enormous ear spools; on his head and forming part of the bird's beak we see a mask of reptilian features and then some small anthropomorphic figures linked by rows of beads. The wings of the birds are also personified as feathered serpents,

las cuales se distingue con toda claridad los talones y garras del pájaro.

Las secciones inferiores de Rosalila están policromadas, lo que no es evidente a primera vista ya que al momento de enterrar el templo los Mayas lo recubrieron con un repello grueso de estuco blanco. La impresión que esto da es que embalsamaron la parte exterior del edificio antes de cubrirlo con los rellenos de lodo y piedra de la siguiente construcción, los que a la vez fueron colocados con tanto cuidado que no molieron los delicados mascarones de estuco. El color de fondo y predominante en las capas pictóricas anteriores a la última es el rojo, pudiéndose identificar también un verde oscuro (sobre las plumas del pájaro celestial y las orejeras de las figuras antropomorfas) y algunos trazos de amarillo (sobre las plumas y caritas del penacho). En las secciones superiores se encuentran muy pocos indicios de colorantes, siendo aún los repellos anteriores de estuco blanco.

El complejo y delicado proceso que ocurrió al sepultar Rosalila es recalcado no sólo por el recubrimiento de sus exteriores con una capa de estuco especial y el cuidado que tuvieron con los rellenos, sino además por las ofrendas depositadas en su interior, que aparte de la de los excéntricos descrita anteriormente incluye otras como numerosos incensarios de barro (con restos de carbón en sus interiores), una preciosa escultura tallada en forma de felino —que servía de pedestal para un incensario— y otras más de concha y jade.

under which the talon and claws of the bird are clearly distinguishable.

The lower sections of Rosalila are polychromed, which is not evident at first sight, since the Maya covered the temple with a thick coat of white stucco before burying it. One has the impression that the external part of the building was embalmed before covering it with the mud and stone fill for the new construction. The task was done with so much care that it did not damage the delicate stucco masks.

The predominant color of the earlier stucco coats is red, but a dark greenish paint is also visible (on the feathers of the celestial bird and the ear spools of the anthropomorphic figures) as well as certain traces of yellow (on the feathers and faces of the headdress). In the upper sections there are very few traces of pigments, and even the earlier coatings are of white stucco.

The complex and delicate process of burying *Rosalila* is underscored not only by the lining of its exteriors with a coat of special stucco and by the special care they took to cover it with the fill, but also by the special offerings deposited in its interior. Besides the eccentrics already described, the offerings include clay incense burners (with carbon remains still inside), an exquisite sculpture carved in the shape of a feline —which served as the pedestal for an incense burner— and others made of carved shell and jade.

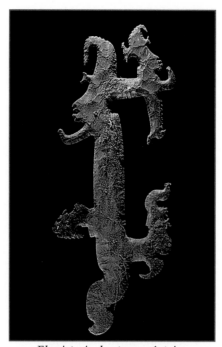

*El misterio de otro excéntrico
de Rosalila*
*The mystery of another of the
eccentrics from* Rosalila

Este conjunto de ofrendas es muy similar al de los enterramientos de los grandes señores de Copán —como la Tumba del Escribano en la Estructura 10L-26— lo que evidencia que Rosalila fue tratada como si fuera uno de estos.

Rosalila descansa sobre un pequeño basamento piramidal. Durante la temporada de campo de 1992 se confirmó que dicho basamento apenas tiene tres metros de altura y al que se ascendía por una escalinata de siete peldaños, que daba a la entrada principal del templo sobre la fachada occidental. Frente al basamento hay una plaza rectangular, delineada por otros edificios, que hasta ahora se comienza a conocer. Es importante recordar que a la altura de esta plaza todavía se está a aproximadamente diez metros sobre el nivel natural del terreno, diferencia que es explicada por la presencia de una versión anterior de la Acrópolis, actualmente investigada por el equipo de Robert Sharer.

Al exponer las gradas del basamento de Rosalila se descubrió que una de ellas tenía un texto jeroglífico tallado en su contrahuella. Los análisis preliminares de esta escritura indican que el templo fue obra del décimo gobernante de Copán, Luna Jaguar, habiéndose conmemorado el año 571 d. C. (9.6.17.3.2).

This set of offerings is very similar to that contained by the burials of the great lords of Copán —like the tomb of the scribe in Structure 10L-26— which contribute evidence to the fact that *Rosalila* was treated as if it were one of them.

Rosalila rests on a small pyramidal platform. During the 1992 excavation season it was confirmed that this terrace was barely three meters high and had a seven-step stairway which led to the main doorway of the temple, on the west façade. In front of the platform there is a rectangular courtyard, bordered by other buildings, which is just now being studied in detail.

One must remember that the level of the court is still approximately ten meters above ground level. This difference is explained by the presence of a previous version of the Acropolis, presently under investigation by Robert Sharer's team.

When the steps of *Rosalila*'s platform were uncovered, it was discovered that one of them had a hieroglyphic text inscribed in its riser. Preliminary analysis of this writing indicate that the temple was commissioned by the tenth ruler of Copán, Moon Jaguar, and it was commemorated on A. D. 571 (9.6.17.3.2).

Con base en toda esta información es evidente que Rosalila fue uno de los principales santuarios de los Mayas copanecos durante el VI siglo después de Cristo.

La posición central de la Estructura 10L-16 en la última versión de la Acrópolis Copaneca, cuya importancia es recalcada por la presencia del Altar Q en este mismo eje, parece reflejar una veneración aún más antigua del sitio. La presencia de Rosalila y las construcciones anteriores que recién vienen siendo descubiertas por las prospecciones en los niveles mas antiguos de la Acrópolis, dirigidas por Robert Sharer y David Sedat, así lo verifican.

Rosalila, therefore, was one of the main religious sanctuaries of the Copanec Maya during the sixth century.

The central position of Structure 10L-16 in the latest version of the Copán Acropolis, whose importance is stressed by the presence of Altar Q along the same axis, seems to reflect an even more ancient veneration of the site.

The presence of *Rosalila* and of the previous constructions which are just recently being discovered in earlier levels of the Acropolis by the Sharer-Sedat team, seem to prove this assertion.

Los últimos días de Copán

Los resultados de las investigaciones arqueológicas indican que en sus últimas décadas la ciudad y el Valle de Copán sufrieron un crecimiento demográfico sin precedente. Esto condujo a la intensificación de los sistemas de explotación agrícola, que a la vez aceleraron el ritmo de degradación del medio ambiente.

La población, entonces, se lanzó a ocupar espacios poco aptos para agricultura y vivienda, tales como las faldas de las montañas que rodean al valle. Provocaron con ello una mayor tala del bosque —de por sí ya diezmado ante la demanda de madera para construcción y de leña para la preparación de alimentos, iluminación de los hogares y procesamiento de cal para los repellos y pisos de estuco en las edificaciones. Las muestras obtenidas por los paleoecólogos presentan dramáticas evidencias de la desaparición del bosque.

A su vez, los arqueólogos han encontrado en el valle los indicios de erosiones masivas de los suelos provenientes de las laderas. Se supone que ocurrieron cambios drásticos en el clima: sequías intensivas, con ríos y quebradas de cau-

The last days of Copán

The results of the archaeological investigations indicate that during its final decades, Copán underwent an unprecedented demographic growth. This led to an intensification of agricultural systems, which in turn accelerated the process of environmental degradation.

As the fertile alluvial bottomlands filled up, people were driven into areas not suited for agriculture or for living, such as the slopes of the mountains which surround the valley. Here they were forced to clear more and more forest —which was already decimated on account of the demand for wood in construction, cooking, lighting and making of lime plaster for stucco floors and façades. Samples obtained by paleoecologists reveal dramatic evidence of this deforestation.

Likewise, archaeologists have found indicators of massive erosion in the valley. The cutting down of the forest also affected climate and rainfall, provoking intense droughts and serious reductions of the water volume of rivers

dal cada vez más reducido, o inundaciones en el invierno, provocadas por la falta de vegetación en las montañas, incapaces ya de aliviar el descargo de las lluvias.

El impacto en la población fue igualmente severo ya que, como se ha señalado, el equipo de especialistas en el estudio de esqueletos —los antropólogos físicos— encabezados por Rebecca Storey, ven en esas muestras óseas muchos indicios de desnutrición, enfermedades y crecimiento traumático. A su vez, la expectativa de vida se redujo y en las postrimerías empezaron a morir muchos niños en edades de cinco a 15 años, un sector poblacional que por lo general es el más resistente.

Como han señalado William y Barbara Fash, un trágico símbolo de este final es el Altar L en donde, en el año 822 d. C., un pretendiente al trono llamado *U Cit Tok'* mandó alzar un monumento conmemorativo de su acceso al trono, de la misma manera que lo había hecho *Yax Pac* en el Altar Q. Aquel nunca fue terminado, quedando la mayor parte de sus fachadas sin esculpir. Con esta patética figura, que no tuvo oportunidad de anunciar su reinado, llegó a su fin la poderosa dinastía iniciada siglos antes por *Yax Kuk Mo'*.

and streams during the dry season and floods in the rainy season.

The quality of life was equally affected. As has been already pointed out, the team of experts studying the skeletal remains —led by Rebecca Storey— has observed evidence of severe malnutrition, infectious diseases and traumatic growth.

Life expectancy was reduced through time until, at the end, many children between the ages of five and fifteen were dying, which is precisely the segment of the population which is generally most resilient.

As pointed out by William and Barbara Fash, a tragic symbol of this unfortunate ending is Altar L where, in the year A. D. 822, a pretender to the throne, *U Cit Tok'*, commisioned a monument that was to honor his accession to the throne, just as *Yax Pax* had done in Altar Q.

The monument, however, was never finished; most of its facades were never carved. Thus, the powerful dynasty begun centuries before by *Yax K'uk Mo'* ended with this pathetic figure, who had no opportunity to boast of his reign.

Tras el colapso del gobierno monárquico la paupérrima población continuó habitando los alrededores del Grupo Principal, pero paulatinamente fue desapareciendo en el marco de un valle ecológicamente destruido. Es posible que hayan transcurrido hasta dos siglos antes de que el valle quedara completamente deshabitado y que el bosque comenzara entonces el lento proceso de recuperar la tierra que el hombre le había quitado y destruido.

Con base en los estudios científicos de los proyectos arqueológicos, nuestra visión de los Mayas en Copán ha variado drásticamente: de una sociedad con un gobierno teocrático a una con un gobierno más secular; de una que nos hablaba de un centro ceremonial vacío a una con un centro poblacional urbano con más de 20 000 habitantes; de un conglomerado de templos a los palacios de la nobleza; de una escultura de dioses a una de reyes; de una escritura de adivinación a una de datos históricos.

A la vez, con los enormes avances tecnológicos y nuevas perspectivas de estudio, cada día se va conociendo con mayor profundidad los detalles de esta maravillosa civilización sobre la cual aún falta mucho que decir.

After the collapse of the monarchy, the residential compounds continued to be inhabited in the vicinity of the Main Group, but they gradually disappeared from an ecologically devastated valley.

It is possible that as much as two more centuries elapsed before the valley was totally abandoned and the forest began its slow process of recovering the land that man had usurped and destroyed.

On the basis of the scientific studies carried out by the archaeological projects, our vision of the Copán Maya has changed drastically: from a society with a theocratic government to one with a more secular rule; from a site with a vacant ceremonial center to an urban polity with more than 20 000 inhabitants; from a conglomerate of temples to the palaces of the nobility; from a sculpture of gods to a sculpture of kings; from a writing of predictions to a record of historical data.

With the enormous technological advances of our era and the new perspectives for study, every day sheds a new light on the features of this spectacular civilization, on which much still remains to be said.

Disco marcador con los retratos de Yax K'uk Mo'
y Petate en la Cabeza, encontrado en 1992
por William L. Fash bajo el Templo Papagayo

Disk marker with portraits of Yax K'uk Mo' *and Mat Head, found in*
1992 by William L. Fash under the Papagayo *Temple*

Agurcia F. Ricardo and William L. Fash. "Copán: A Royal Maya Tomb Discovered". NATIONAL GEOGRAPHIC MAGAZINE, Vol. 176, N°. 4, 1989 (October). pp. 480-487.

Agurcia F. Ricardo and William L. Fash. "Maya Artistry Unearthed". NATIONAL GEOGRAPHIC MAGAZINE, Vol. 180, N°. 3, 1991 (Sept.). pp. 94-105.

Agurcia F. Ricardo y William L. Fash. HISTORIA ESCRITA EN PIEDRA: GUIA AL PARQUE ARQUEOLOGICO DE LAS RUINAS DE COPAN. Tegucigalpa, Asociación Copán e Instituto Hondureño de Antropología e Historia, 1992.

Andrews V., E. Wyllys & Barbara W. Fash. "Continuity and Change in a Royal Maya Residential Complex at Copán". ANCIENT MESOAMERICA, Vol. 3, 1992. pp. 63-88.

Baudez, Claude F., Editor. INTRODUCCION A LA ARQUEOLOGIA DE COPAN, HONDURAS. Tres Tomos, Tegucigalpa, Instituto Hondureño de Antropología e Historia, 1983.

Berlin, Heinrich. SIGNOS Y SIGNIFICADOS EN LAS INSCRIPCIONES MAYAS. Guatemala, Instituto Nacional del Patrimonio Cultural, 1977.

Culbert, T. Patrick, Editor. CLASSIC MAYA POLITICAL HISTORY: HIEROGLYPHIC AND ARCHAEOLOGICAL EVIDENCE. Cambridge, Cambridge University Press, 1991.

Fash, Barbara. "Late Classic Architectural Sculpture Themes in Copán". ANCIENT MESOAMERICA, Vol. 3, 1992. pp. 89-104.

Fash, Barbara, William Fash, Sheree Lane, Rudy Larios, Linda Schele, Jeffrey Stomper & David Stuart. "Investigations of a Classic Maya Council House at Copán, Honduras". JOURNAL OF FIELD ARCHAEOLOGY, Vol. 19, N°. 4, 1992. pp. 419-442.

Fash, William L. "A New Look at Maya Statecraft from Copán, Honduras". ANTIQUITY, Vol. 62, N°. 234, 1988. pp. 157-169.

Fash, William L. SCRIBES, WARRIORS AND KINGS: THE CITY OF COPAN AND THE ANCIENT MAYA. Londres & Nueva York, Thames and Hudson, 1991.

Fash, William y Kurt Z. Long. "Mapa Arqueológico del Valle de Copán". **In** C. F. Baudez, Ed. INTRODUCCION A LA ARQUEOLOGIA DE COPAN, HONDURAS. Tegucigalpa, Instituto Hondureño de Antropología e Historia, Tomo III, 1983.

Fash, William and Barbara Fash. "Scribes, Warriors and Kings: Ancient Lives of the Copán Maya". ARCHAEOLOGY, Vol. 43, 1990. pp. 26-35.

Fash, William and David Stuart. "Dynastic History and Cultural Evolution at Copán, Honduras". **In** T. Patrick Culbert, Ed. CLASSIC MAYA POLITICAL HISTORY: HIEROGLYPHIC AND ARCHAEOLOGICAL EVIDENCE, Cambridge University Press, Cambridge, 1991. pp. 147-179.

Fash, William, Richard V. Williamson, Carlos Rudy Larios & Joel Palka. "The Hieroglyphic Stairway and its Ancestors: Investigations of Copán Structure 10L-26". ANCIENT MESOAMERICA, Vol. 3, 1992. pp. 105-115.

Gerstle, Andrea y David Webster. "Excavaciones en 9N-8, Conjunto del Patio D." **In** W. Sanders, Ed. EXCAVACIONES EN EL AREA URBANA DE COPAN, Tegucigalpa, Instituto Hondureño de Antropología e Historia, Tomo III, 1990.

Riese, Berthold. "Late Classic Relationship between Copán and Quirigua: Some Epigraphic Evidence." **In** P. Urban and E. Schortman, Eds. THE SOUTHEAST MAYA PERIPHERY, Austin, U. of Texas Press, 1986. pp. 94-101.

Sanders, William T., Editor. PROYECTO ARQUEOLOGICO COPAN, SEGUNDA FASE: EXCAVACIONES EN EL AREA URBANA DE COPAN, Tres Tomos, Tegucigalpa, Instituto Hondureño de Antropología e Historia, 1986, 1990.

Schele, Linda and Mary Ellen Miller. THE BLOOD OF KINGS: DYNASTY AND RITUAL IN MAYA ART, Fort Worth, Kimbell Art Museum, 1986.

Schele, Linda y David Freidel. A FOREST OF KINGS: THE UNTOLD STORY OF THE ANCIENT MAYA. Nueva York, William & Morrow, 1990.

Sharer, Robert J., Julia C. Miller and Loa P. Traxler. "Evolution of Classic Period Architecture in the Eastern Acropolis, Copán: A Progress Report". ANCIENT MESOAMERICA, Vol. 3, 1992. pp. 145-159.

Storey, Rebecca. "The Children of Copán: Issues in Paleopathology and Paleodemography". ANCIENT MESOAMERICA, Vol. 3, 1992. pp.161-167.

Stuart, David. "Hieroglyphs and Archaeology at Copán". ANCIENT MESOAMERICA, Vol. 3, 1992. pp.169-184.

Webster, David, Editor. THE HOUSE OF THE BACABS, COPAN, HONDURAS. Washington, Dumbarton Oaks, 1989.

Webster, David & Ann C. Freter. "The Demography of Late Classic Copán". **In** T. P. Culbert and D. S. Rice, Eds. PRECOLUMBIAN POPULATION HISTORY IN THE MAYA LOWLANDS. Albuquerque, University of New Mexico Press, 1990. pp. 37-61.

Webster, David, William T. Sanders & Peter van Rossum. "A Simulation of Copán Population History and its Implications". ANCIENT MESOAMERICA, Vol. 3, 1992. pp. 185-197.

Willey, Gordon, Richard Leventhal and William Fash. "Maya Settlements in the Copán Valley". ARCHAEOLOGY, Vol. 34, 1978. pp. 32-43.

Willey, Gordon and Richard Leventhal. "Prehistoric Settlement at Copán." **In** N. Hammond & G. Willey, Eds. MAYA ARCHAEOLOGY AND ETHNOHISTORY. Austin, University of Texas Press, 1979. pp. 75-102.

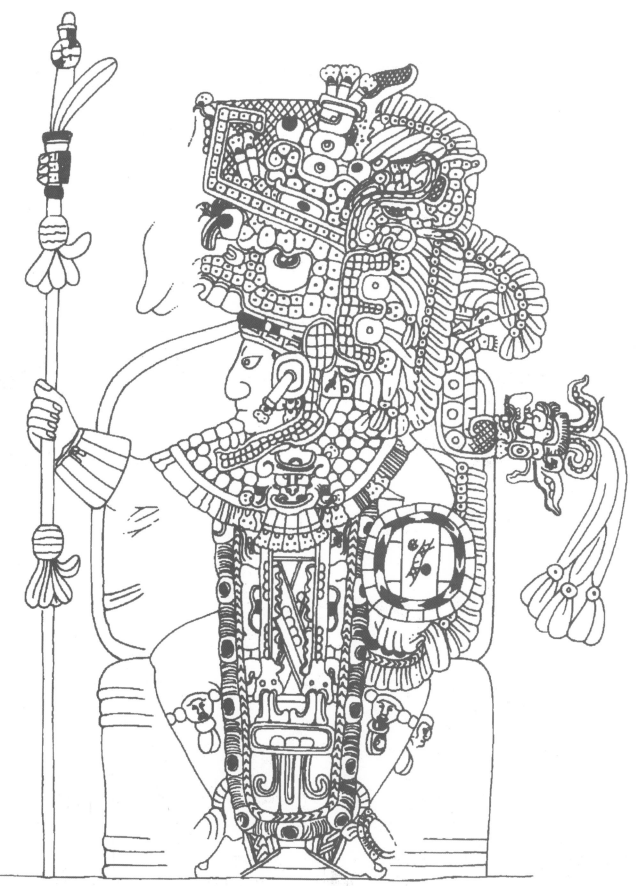

Yaxkin Chaan K'awil, *gobernante*
de Tikal en el año 734 d. C.

Yaxkin Chaan K'awil, *Ruler of Tikal*
in the year 734 A. D.

Emblema de Tikal
Emblem of Tikal

TIKAL
LUGAR DE LAS VOCES
PLACE OF VOICES

Juan Antonio Valdés
UNIVERSIDAD
DE SAN CARLOS DE GUATEMALA

Lago Petén Itzá, situado al suroeste del centro arqueológico de Tikal
Lake Petén Itzá, located southwest of Tikal

Vista panorámica de Tikal, sobre cuya vegetación sobresalen las crestas de los templos

Panoramic view of Tikal with the temple roofcombs peering through the jungle

Un lugar llamado Tikal

Las ruinas de la ciudad Maya de Tikal se encuentran ubicadas 587 km al Norte de la ciudad de Guatemala, dentro de un denso bosque tropical húmedo que predomina en el Norte del Departamento de Petén y en el que abundan grandes árboles de caoba, cedro, chico zapote, ramón y ceibas, así como más de 285 especies de aves multicolores, entre las que sobresalen por su plumaje tucanes, guacamayas, loros, pájaros carpinteros, pavos peteneros y otros.

Tikal está situado en una región conocida como Tierras Bajas Mayas, término geográfico empleado por los arqueólogos para identificar una extensa zona geológica de roca caliza que no sobrepasa los 600 metros sobre el nivel del mar y que se extiende desde el Sur de Petén hasta el Norte de la Península de Yucatán.

A place called Tikal

The ruins of the Maya city of Tikal are located 587 km to the North of the city of Guatemala, in the midst of a dense, tropical rain forest which prevails in the northern part of the Department of Petén, cohabitating with enormous mahogany, cedar, sapodilla, and ceiba trees, as well as with more than 285 species of multicolored birds, including toucans, macaws, parrots, woodpeckers, Petén peacocks and others.

Tikal is located in a region known as the Maya Lowlands, a geographical term used by archaeologists to identify a broad geological zone made up of limestone, not more than 600 meters above sea level, which extends from the Petén in the South to the Yucatan Peninsula in the North.

La Ceiba, árbol sagrado de la cultura Maya,
conducto entre los niveles del inframundo
y el supramundo

The Ceiba, sacred tree of the Maya
and supernatural link between
the underworld and the heavens

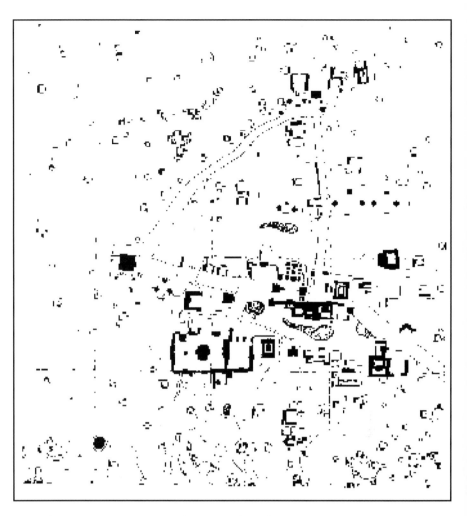

El sitio está a una elevación de 283 metros y fue construido sobre varias colinas que se encuentran rodeadas por los "bajos" de Santa Fe, Palmar, Escobal y Tintal. Los "bajos" son grandes depresiones de tierra arcillosa que en época de lluvias se convierten en pantanos, mientras que en el verano se transforman en terrenos secos donde el suelo llega a agrietarse al estar expuesto mucho tiempo al fuerte sol. Esta característica trae como consecuencia un ecosistema particular, caracterizado por vegetación baja y bejucos, lo cual fue una limitación para la agricultura de milpa en época prehispánica —al igual que en la actualidad. Sin embargo, se ha comprobado el empleo de agricultura intensiva en algunos bajos de Petén, desarrollada mediante la utilización de técnicas especiales asociadas a la ingeniería hidráulica.

Tikal está situado al noreste del lago Petén Itzá, el mayor de los lagos de la región. El arribo al sitio se efectúa por medio de carretera asfaltada (64 km) que parte desde Ciudad Flores y el aeropuerto internacional. El centro arqueológico se encuentra dentro del Parque

The site is 283 meters above sea level and was built on top of many low hills surrounded by the "low-lying lands" or "*bajos*" of Santa Fe, Palmar, Escobal and Tintal. These "*bajos*" are vast depressions of clayish soil which turn into swamps during the rainy season, and become dry stretches of land which crack under the intense heat of the summer sun.

The resulting ecosystem, typified by low vegetation and reeds, constituted a drawback for the planting of corn in prehispanic times, as it still does today. However, the use of intensive agriculture through special techniques associated with hydraulic engineering, has been confirmed in certain depressions of the Petén.

Tikal is situated northwest of the Petén Itzá Lake, the biggest lake in the region, measuring thirty-six kilometers long and sixteen kilometers wide.

The site is accessed through a sixty-four kilometer asphalt-paved road which begins at Ciudad Flores and the international airport. The archaeological center is located within the boundaries of the Tikal National Park, which covers

Nacional Tikal, que cubre una superficie de 576 km². Este Parque fue creado en Mayo de 1955 y Tikal fue nombrado Monumento Nacional en 1970. Debido a su excepcional valor al conjuntar una extraordinaria riqueza natural y cultural, fue posteriormente declarado por UNESCO como Patrimonio Cultural de la Humanidad en Octubre de 1979, y como Monumento Universal en 1986.

Un completo mapa topográfico del sitio muestra una superficie de 16 km², con más de 4000 estructuras que incluyen plazas, templos, palacios, pirámides, juegos de pelota, calzadas, casas de variadas dimensiones y *chultunes* (espacios abiertos en la roca caliza utilizados para depositar agua, granos, entierros y basura). Las investigaciones emprendidas en Tikal han permitido descubrir numerosos monumentos en piedra, tales como estelas y altares lisos y esculpidos, así como cientos de entierros y ofrendas depositados ritualmente hace siglos.

an area of 576 km². This Park was created in May 1955 and Tikal was designated a National Monument in 1970. Due to its exceptional natural and cultural wealth, it was subsequently declared by UNESCO a World Cultural Heritage site in October 1979, and a World Monument in 1986.

A complete topographical map of the site shows an area of 16 km² supporting more than 4000 structures including plazas, temples, palaces, pyramids, ballcourts, causeways, different sized houses and *chultunes* (open spaces in limestone used to deposit water, grains, burials and refuse).

Investigations undertaken in Tikal have led to the discovery of numerous stone monuments such as stelae and inscribed altars, and of hundreds of burials and offerings deposited during rituals thousands of years ago.

Vista general de la Plaza Mayor de Tikal, con los templos I y II enmarcando la Acrópolis Norte, al fondo
Overview of the Great Plaza at Tikal with Temples I and II framing the North Acropolis in the background

*Filigrana de los artífices de Tikal:
rostro humano tallado en hueso*

*Filigree of Tikal's artists:
human face carved in bone*

Lo que los arqueólogos descubrieron en Tikal

Aunque Tikal fue abandonado por sus habitantes originales varias décadas después del año 900 d. C., fecha del Colapso Maya, es probable que dicha ciudad jamás haya sido perdida de vista por las personas que residían en las cercanías. Se sabe que en el siglo XVI fue visitada como centro de peregrinaje por grupos Itzá residentes junto al lago Petén Itzá, quienes colocaron el entierro de una mujer en uno de los cuartos del Templo I, mientras que a mediados del siglo XIX Ambrosio Tutz, Gobernador de Petén en ese momento, observó indios Lacandones en los alrededores de Tikal, aunque debido a lo fugaz del encuentro se desconoce si procedían de la región del Usumacinta o de alguna otra más cercana a Tikal.

Se supone que Fray Andrés de Avendaño pudo ser el primer europeo en llegar a Tikal en 1696, cuando salió huyendo de Tayasal, capital de los Itzá, debido a un complot que había preparado en su contra el rey Canek.

El fraile se escabulló en la oscuridad de la noche y en sus relatos indica que pasó por una ciudad antigua, llena de

What archaeologists have discovered at Tikal

Although Tikal was abandoned by its original inhabitants many decades after the year A. D. 900, date of the collapse of the Maya civilization, it seems highly unlikely that people living in the vicinity had completely forgotten it.

It is now known that during the sixteenth century the site was a center for pilgrimages by Itzá groups residing near Lake Petén Itzá, who buried a woman in one of the chambers of Temple I. Likewise, towards the middle of the nineteenth century, Ambrosio Tutz, Governor of Petén at the time, observed Lacandon indians in the vicinity of Tikal, although it is not clear whether they came from the region of the Usumacinta or from another area closer to Tikal.

Although it is not known for a fact, Fray Andrés de Avendaño is considered to have been the first European to arrive in Tikal in 1696, when he fled Tayasal, capital of the Itzá, upon learning of a conspiracy against him by King Canek. The friar sneaked out under the cover of night, and in his chronicles he describes

edificios altos y viviendas techadas con bóvedas y blanqueadas con yeso, quedando impresionando de lo que allí vio y encontró. Sin embargo, el primer informe oficial sobre Tikal fue escrito en 1848, luego de la visita realizada por una misión del Gobierno de Guatemala. Esta misión permaneció en Tikal seis días tomando datos y haciendo dibujos de templos, edificios, estelas y altares lisos y esculpidos. Ambrosio Tutz, Gobernador de Petén, fue el primero en llegar al sitio y comunicó su hallazgo a Modesto Méndez, Corregidor de Petén, quien redactó el informe oficial del descubrimiento. El nombre de Tikal fue empleado a partir de ese momento como topónimo maya Itzá que significa *Lugar de las Voces*. El informe de Méndez fue publicado en un diario guatemalteco y seguidamente en Alemania, lo que dio lugar a que se iniciara la llegada de europeos y norteamericanos, algunos interesados en la búsqueda de tesoros y otros en culturas antiguas. Entre la larga lista de dichos visitantes puede mencionarse a:

John Carmichael, arribó a Tikal en 1869, 1890 y 1903, murió enfermo de malaria en Chisec, Alta Verapaz, al regresar de su último viaje. En 1877 Gustave Bernoulli extrajo de los Templos I y IV varios dinteles tallados en madera, los que actualmente se exhiben en el Museo Etnológico de Basilea, Suiza. Alfred Percival Maudslay fue el autor del primer plano de Tikal en 1881-1882 y durante su estadía en el lugar asentó su campamento en el palacio 5D-52, más comúnmente conocido como el Palacio de los Cinco Pisos. Posteriormente llegó Teobert Maler en 1895 y 1904 a levantar un nuevo plano. Su firma puede observarse aun hoy día sobre una de las paredes del llamado "Palacio Maler", en la Acrópolis Central, lugar donde residió parcialmente mientras trabajó en Tikal. En 1910 arribaron A. M. Tozzer y R. E. Merwin para complementar el plano y tomar fotografías, mientras que poco tiempo después Sylvanus G. Morley efectuó cinco visitas entre 1914 y 1937, dando particular relevancia al estudio y desciframiento de los jeroglíficos mayas en monumentos esculpidos.

passing through an ancient city, full of tall buildings and vaulted houses whitewashed with plaster; he also reported having been impressed with what he saw and found. The first official report on Tikal, however, was not written until 1848, after a visit by a mission of the Guatemalan government. This mission sojourned in Tikal for six days, collecting data and making drawings of temples, buildings, stelae and plain and inscribed altars. Ambrosio Tutz, Governor of Petén, was the first to arrive at the site and communicated his finding to Modesto Méndez, Magistrate of Petén, who wrote the official report on the discovery. The name Tikal was used from then on as a Maya Itzá toponymic, meaning *Site of the Voices.* Méndez' report was published in a Guatemalan newspaper and then in Germany, which prompted the advent of Europeans and North Americans to the site, some of them interested in treasures and others in ancient cultures. Among the long list of visitors the following are worth mentioning:

John Carmichael visited Tikal in 1869, 1890 and in 1903 and died of malaria in Chisec, Alta Verapaz, after returning from his last trip.

In 1877, Gustave Bernoulli removed various lintels carved in wood from Temples I and IV, which are presently in display at the Ethnological Museum in Basel, Switzerland. Alfred Percival Maudslay was the author of the first map of Tikal in 1881-1882 and during his stay at the site he set up his camp in palace 5D-52, commonly known as the Palace of the Five Floors.

Teobert Maler arrived in 1895 and again in 1904 to draw up a new map. His signature can still be seen in one of the walls of the so called "Maler Palace" in the Central Acropolis, which he lived in while he worked at Tikal.

In 1910 A.M. Tozzer and E.E. Merwin arrived to complete the map and to take pictures. Shortly thereafter, Sylvanus G. Morley made five visits to the site between 1914 and 1937, focusing on the study and decipherment of the Maya hieroglyphs on inscribed monuments.

*Sección inferior de la Estela 39, encontrada en Mundo Perdido.
Representa un personaje del linaje "Garra de Jaguar"*

*Lower section of Stela 39, found in the "Lost World",
portraying a noble from the Jaguar Paw lineage*

Acrópolis Central, con el Palacio Real al fondo, a la derecha
Central Acropolis with the Royal Palace in the background, at right

Una nueva época con mayor rigor científico se inició en 1956 con el *Tikal Project* del Museo de la Universidad de Pennsylvania y que representó una novedosa etapa en la investigación arqueológica, ya que se excavó y estudió el sitio desde una nueva y más amplia perspectiva. Edwin Shook, William Coe y George Guillemin fueron directores sucesivos del proyecto, que concluyó en 1969. Durante esa temporada fue elaborado un mapa completo de Tikal, se excavó templos y palacios, conjuntos habitacionales, juegos de pelota, el mercado y otros grupos residenciales en las zonas aledañas. Por primera vez se efectuaron trabajos de restauración en diversos conjuntos, incluyendo la Gran Plaza, las Acrópolis Norte y Central y varios grupos de Pirámides Gemelas. (Las acrópolis son el resultado de trabajos masivos que se manifiestan por la construcción de edificios ceremoniales a gran escala y por ser uno de los sectores más importantes en los centros arqueológicos al haber sido la sede del poder político y administrativo, así como también lugar reservado para el enterramiento de los soberanos. Por su parte, los grupos de Pirámides Gemelas incluyen un patrón

A new era of greater scientific precision began in 1956 with the Tikal Project of the Museum of the University of Pennsylvania. This represented an innovative period in archaeological investigation, as the site was excavated and studied from a new and broader perspective. Edwin Shook, William Coe and George Guillemin were all directors of the project, which concluded in 1969. During this time a complete map of Tikal was drawn, and temples, palaces, residential compounds, ballcourts, the marketplace and other residential groups in neighboring zones were excavated. For the first time restoration work was carried out in various compounds, including the Great Plaza, the North and Central Acropolises and various groups of Twin Pyramids. (The acropolises are the result of massive construction of ceremonial buildings on a large scale; they are one of the most important sectors in archaeological centers, as they were the seat of the political and administrative power as well as the place reserved for the burial of rulers. The Twin Pyramids, on the other hand, exhibit a very particular pattern in the position of their buildings,

particular en la posición de sus edificios, el que fue inventado en Tikal durante el Clásico; se considera que son conjuntos relacionados con eventos marcadores de tiempo y ritual).

Entre 1972-1980 se investigó el Grupo 5E-11, conocido también como "Palacio de las Acanaladuras" debido a la decoración que presenta en las fachadas, la que semeja canales colocados en posición vertical. El trabajo fue supervisado por Miguel Orrego y Rudy Larios con el financiamiento del Instituto de Antropología e Historia de Guatemala.

La última de estas magnas empresas fue el "Proyecto Nacional Tikal", enfocado principalmente al estudio de uno de los conjuntos más grandes e importantes del lugar, denominado comúnmente como "Mundo Perdido", aunque también hubo excavaciones en otras áreas, incluida la "Zona Norte" y diversos grupos habitacionales al suroeste del sitio. La investigación se realizó entre 1979 y 1985 y fue parcialmente financiada por el Banco Centroamericano de Integración Económica —BCIE— y el gobierno de Guatemala. Los estudios arqueológicos fueron conducidos por Juan Pedro Laporte y Marco Antonio Bailey, los que se complementaron con trabajos de consolidación y restauración a gran escala, tanto en conjuntos ceremoniales como residenciales, muchos de ellos actualmente abiertos al público.

Los estudios anteriores han ayudado a comprobar que Mundo Perdido y Acrópolis del Norte son los lugares más antiguos y donde se asentaron los primeros pobladores de Tikal.

which was introduced in Tikal during the Classic Period. These complexes are presumably related to time marking events and rituals).

Group 5E-11, also known as the "Palace of the Grooves" because of the channel-like moldings it displays on its façades, was studied between 1972-1980. The work was supervised by Miguel Orrego and Rudy Larios with financing from the Institute of Anthropology and History of Guatemala.

The last of these great endeavors, the "Tikal National Project", focused primarily on the study of one of the largest and most important complexes of the site, commonly known as "Lost World".

Other areas were also excavated, however, including the "North Zone" and other residential groups to the southwest of the site.

The investigation was undertaken between 1979 and 1985 and was partially financed by the Central American Bank for Economic Integration (CABEI) and the government of Guatemala. The archaeological studies were conducted by Juan Pedro Laporte and Marco Antonio Bailey, complemented by consolidation and restoration works on a large scale, both in residential and ceremonial complexes, many of them presently open to the public.

The afore-mentioned studies have helped to confirm that the Lost World and the North Acropolis are the most ancient areas at the site and that it was here where the first settlers of Tikal established themselves.

Jugadores de pelota (detalle).
Mural del Grupo 6C-XVI

Ball players (detail).
Mural from Group 6C-XVI

*Complejo de
Conmemoración Astronómica
en Mundo Perdido de Tikal*

*Astronomically
Oriented Compound
in the Lost World of Tikal*

Las investigaciones han permitido descubrir desde el momento en que llegaron sus ocupantes iniciales, alrededor del año 800 antes de Cristo, hasta las últimas etapas de ocupación, luego del colapso maya del año 900 d. C., al concluir el período Clásico Tardío. Numerosas construcciones y monumentos esculpidos son testigo de la majestuosidad que tuvo el sitio, así como el alto grado de desarrollo alcanzado, incluyendo acontecimientos sociopolíticos y continuos cambios arquitectónicos, cerámicos y estilísticos que se dieron en el transcurso de los siglos, modificando la historia de Tikal. Los descubrimientos sobre secuencias dinásticas, costumbres funerarias, escultura con mensajes ideológicos y demás manifestaciones humanas, han ayudado a conocer de mejor manera el sistema de vida y organización interna que tuvieron los pobladores de Tikal durante por lo menos 1800 años en que este centro estuvo ocupado.

These investigations have allowed us to determine the moment in which these initial settlers arrived, around the year 800 B. C., as well as to trace their activities in the site up until the last stages of its occupation, shortly after the collapse of the Maya world in the year A. D. 900, towards the end of the Late Classic Period. Many constructions and monuments are witnesses to the majesty of this site, as well as to the advanced state of development it achieved, including sociopolitical events and continuous architectural, ceramic and stylistic changes which took place in the course of the centuries, shaping the history of Tikal. The discoveries of dynastic sequences, funeral rites, sculpture with ideological messages and other human expressions have shed light on the system of life and internal organization which was distinctive of the settlers of Tikal during at least 1800 years.

Majestuoso Templo I, del Gran Jaguar, Acrópolis Norte.
Visto desde el interior del Templo 34

The majestic Temple I of the Great Jaguar, North Acropolis.
View from the interior of Temple 34

¿Cómo es Tikal?

Durante mucho tiempo Tikal ha sido considerado el sitio más grande y monumental de las Tierras Bajas Mayas. Las investigaciones realizadas en el medio de la selva, apoyadas en programas de mapeo y excavación, han permitido determinar que Tikal fue una ciudad que tuvo una extensión aproximada de 120 km². Sus fronteras han sido definidas por la presencia de marcadores limítrofes, en que se aprovecharon fenómenos naturales y construcciones humanas. Para ello se ha considerado la existencia de los terrenos pantanosos (llamados bajos) al Este y Oeste del sitio, lugares inhóspitos que limitan la vivienda humana en esos puntos. Por su parte, los sectores Norte y Sur han sido fijados por la presencia de dos grandes trincheras o fosos defensivos que tienen varios kilómetros de largo y que fueron construidos durante el Clásico Temprano como sistemas protectores contra ataques enemigos.

Los cálculos poblacionales efectuados por Patrick Culbert y otros, sobre la época de mayor apogeo de Tikal, indican que dentro de estos 120 km² vivieron alrededor de 62 000 personas.

What is Tikal like?

For a long time Tikal has been considered the greatest monumental site of the Maya Lowlands. Investigations undertaken in the middle of the jungle, assisted by a mapping and excavation program, have permitted us to ascertain that Tikal was a city with an approximate area of 120 km².

Its boundaries have been defined by the presence of territorial markings, which included natural phenomena and human constructions. The swamps (*bajos*) to the East and West of the site limited human occupation beyond those points.

Regarding the North and South sectors, the boundaries have been set by the presence of two large trenches or defensive pits which are several kilometers long and which were built during the Early Classic Period as a means of protection against enemy attacks.

Estimates of the population made by Patrick Culbert and others indicate that during the apogee of Tikal, approximately 62 000 people lived within these 120 km².

Sin embargo, otras 30 000 más pueden agregarse a esta suma, al considerar el número de viviendas descubiertas hasta distancias de diez kilómetros fuera del epicentro de Tikal, estimadas como área rural. Por lo tanto, si se contempla ambas cantidades poblacionales, Tikal fue una gran urbe compuesta de por lo menos 90 000 habitantes, lo que demuestra que se está ante la ciudad más grande y poblada del Clásico Tardío en el área Maya.

El corazón del sitio está formado por varios conjuntos que desempeñaron funciones ceremoniales, administrativas y residenciales. Dentro de estos se incluyen las Acrópolis Norte, Sur y Central, Gran Plaza, Mundo Perdido, Siete Templos, Acanaladuras, Grupo P, Complejos de Pirámides Gemelas, Plaza Este, Plaza Oeste, diversos templos mayores y otros conjuntos más. Rodeando las agrupaciones mencionadas se encuentran cientos de plazuelas habitacionales de mediano y pequeño tamaño, en donde residió la gente del pueblo. Empero, como se indicó anteriormente, Mundo Perdido y Acrópolis Norte fueron los primeros en ser construidos y alrededor de ellos creció Tikal en el transcurso de los siglos.

La Acrópolis Norte es símbolo de un lugar sagrado, ya que este fue el punto escogido para sepultar a los gobernantes de Tikal durante un espacio de aproximadamente cinco siglos, entre el año uno y 550 d. C. En el interior de diferentes templos fueron enterrados famosos soberanos del Clásico Temprano, tales como *Huh Chaan Mah K'ina* ("Nariz Rizada") y *K'awil Chaan* ("Cielo Tormentoso"), quienes con sus obras y gestión dieron gran esplendor a Tikal.

Another 30 000 could be added to this figure, considering the number of dwellings which have been discovered up to ten kilometers outside the epicenter of Tikal, presumably in rural areas. Therefore, if both population estimates are taken into consideration, Tikal turns out to have been a great cosmopolitan city of over 90 000 inhabitants, one of the largest and most populated cities of the Late Classic Period in the Maya World.

The nucleus of the site is formed by various architectural complexes associated with ceremonial, administrative and residential activities. Among these complexes are the North, South and Central Acropolises, the Great Plaza, the Lost World, Seven Temples, the Palace of the Grooves, Group P, the Complex of the Twin Pyramids, the East and West Courts, various major temples and other architectural complexes. Surrounding these groups of structures are hundreds of small and medium-size dwellings, where the people lived. Nevertheless, as indicated earlier, Lost World and the North Acropolis were the first to be built, and around them Tikal grew in the course of the centuries.

The North Acropolis is a sacred place, as this was chosen as the burial ground for the rulers of Tikal for a span of approximately five centuries, between the year A. D. 1 and A. D. 550. Famous rulers of the Early Classic Period were buried inside different temples, such as *Huh Chaan Mah K'ina* ("Curl Nose") and *K'awil Chaan* ("Stormy Sky"), both of whom contributed to the splendor of Tikal with their monuments.

Vasija encontrada en el Entierro 85 y originaria del Préclásico Tardío

Vessel found in Burial 85 of the Late Preclassic Period

Más de doce estadios constructivos, colocados uno sobre otro, revelan una ocupación continua de este lugar durante aproximadamente 1500 años.

Desde el inicio este conjunto fue construido sobre una gran plataforma artificial que sostuvo variado número de edificios con el transcurso del tiempo, casi todos asociados con funciones rituales.

El diseño y ubicación de los edificios de Acrópolis Norte fueron planificados desde el Preclásico, siguiendo un antiguo concepto ideológico asociado con tres deidades mitológicas de la creación del universo. Con el paso de los siglos la Acrópolis tuvo una superficie mayor y

More than a dozen successive construction levels, set one on top of the other, indicate a continuous occupancy of this local during approximately 1500 years.

From the start this complex was built atop a large artificial terrace which supported numerous buildings in the course of time, most of them associated with ritual activities.

The design and location of the structures of the North Acropolis were conceived during the Preclassic Period, following an early ideological concept based on three basic structures describing a triad pattern associated with mythological deities involved with the

Mascarón representativo del concepto del cosmos —inframundo acuático, Montaña Sagrada y cielo. (Uaxactún)

Mask representing the cosmos —watery underworld, Sacred Mountain and sky (Uaxactún)

aumentaron los templos, pero tuvo también espacios internos bastante reducidos.

Aquí se observa claramente la constante asociación de mascarones estucados, representando deidades o mensajes ideológicos, decorando las fachadas de los templos, rasgo característico en Tikal para el Clásico Temprano así como para otras ciudades del área maya. Al frente de la Acrópolis se ubican numerosas estelas y altares, en donde se representó imágenes de los gobernantes y se registró además algunos eventos trascendentales en la vida de los primeros soberanos de Tikal.

creation of the universe. In the course of the centuries the Acropolis occupied a larger area and the number of temples increased, but these were also very private inner spaces. The constant association of stuccoed masks, representing deities or ideological messages, with these buildings is a characteristic feature in Tikal of the Early Classic Period as well as in other cities of the Maya world. Numerous stelae and altars portraying the rulers of Tikal and recording transcendental events in their lives are located in front of the Acropolis.

Templo II, construido alrededor del año 700 d. C.

Temple II, built about 700 A. D.

La Gran Plaza y sus alrededores fueron el corazón de Tikal y se considera que durante el Clásico Tardío se convirtieron en el espacio vital desde donde se rigió la vida política y social de sus habitantes. Está delimitada por la Acrópolis Norte y Acrópolis Central (al Norte y Sur) mientras que los Templos I y II ocupan las posiciones del Este y Oeste, ejemplos majestuosos y dinámicos de la arquitectura local. Ambos edificios fueron construidos alrededor del año 700 d. C. El Templo II está orientado hacia el Este, viendo la salida del sol, y alcanza 38 metros de altura. Al pie de la escalinata principal existe una estela y altar lisos; cuenta con una particular escalinata secundaria sobre el lado Norte, la que asciende hasta el segundo cuerpo, y en la parte alta se encuentra el templo con cuartos de reducido tamaño. La estructura está coronada por una bella crestería esculpida, rasgo típico de los edificios mayores de Tikal.

Por su parte, el Templo I es mucho más espigado y representativo de la monumentalidad arquitectónica lograda por los dirigentes de Tikal durante el Clásico Tardío. Tiene 45 m de alto y está orientado hacia el Oeste, lugar de la

The Great Plaza and its sorroundings constituted the core of Tikal. During the Late Classic Period it became the focus of the sociopolitical life of its inhabitants. It is bordered by the North Acropolis and the Central Acropolis (to the North and South), and by Temples I and II (to the East and West), majestic prototypes of local architecture. Both buildings were erected *ca.* the year A. D. 700. Temple II, which faces East, towards the rising sun and stands thirty-eight meters high, exhibits an unadorned stela at the foot of its main stairway.

A secondary stairway on the North side escalates to the second level; the temple, with very reduced chambers, sits on the summit. The structure is crowned by a beautiful engraved roof comb, a salient feature of the major buildings in Tikal.

Temple I is much more stylized and representative of the type of monumental architecture accomplished by the rulers of Tikal during the Late Classic.

It stands forty-five meters tall and faces West, towards the setting sun,

puesta del sol y que los Mayas consideraban como la entrada al inframundo. Este templo fue levantado por el Gobernante *Ha Sawa Chaan K'awil* (conocido también como *Ah Cacaw*, o, Señor A) cuya rica tumba fue descubierta en el interior del edificio. Al pie de la base existen dos estelas y altares lisos que debieron asociarse con ceremoniales específicos. Las jambas de las puertas del templo estuvieron decoradas con dinteles tallados en madera de chico-zapote y muestran la figura del gobernante como el sujeto principal de la escena.

En Tikal se han descubierto cinco canchas para juego de pelota. La más pequeña de ellas —localizada al Sur del Templo I— presenta rasgos comunes para este tipo de construcciones del Clásico Tardío, tales como la orientación siguiendo un eje Norte-Sur y su diseño de "tipo abierto", llamado así por no presentar estructuras terminales en sus extremos. Los dos edificios que enmarcan la cancha tienen pequeñas gradas para que el público subiera a la parte alta de ellos, mientras que otros espectadores debieron observar el juego desde las terrazas que forman el Templo I y los edificios del lado Sur. El juego de pelota fue una actividad ritual de gran relevancia para los Mayas, estrechamente rela-

considered by the Maya as the portal to the underworld. This temple was erected by the Governor *Ha Sawa Chaan K'awil* (also known as *Ah Cacaw*, or Ruler A), whose rich tomb was discovered in the interior of the building. Two plain stelae and altars, probably associated with specific ceremonies, were found at the foot of the pyramid.

The jambs of the doors of the temple were decorated with lintels carved in sapodilla wood which portray the figure of a ruler as the main protagonist of the scene.

Five ballcourts have been discovered in Tikal. The smallest —located to the South of Temple I— displays features common to this type of construction of the Late Classic Period, such as a North-South axis alignment and an "open" design, so called because there are no terminal structures at its ends. The two buildings which frame the ballcourt have small steps to access the top, while other spectators must have watched the game from the terraces which comprise Temple I and the buildings on the South side.

The ball game was a ritual of great significance for the Maya, closely related to the underworld and to the myth of the Twin Brothers

El juego de pelota más pequeño descubierto en Tikal
The smallest ballcourt found at Tikal

Cama de piedra sobre la que se colocaba petates y colchones de piel de jaguar

Stone bench over which were placed straw mats and jaguar pelts

cionada con el inframundo y el mito de los Hermanos Gemelos del **Popol Vuh**: Hunahpu e Ixbalanque.

Al Sur de la Plaza Mayor fue levantado un enorme complejo de palacios residenciales y administrativos, llamado Acrópolis Central, que fue el lugar donde vivió la familia real de Tikal y sus parientes. Este conjunto se extiende por más de 1.5 hectáreas y se compone de 45 edificios que forman seis patios rodeados de palacios de dos y tres pisos, construidos siguiendo el desnivel de terreno, lo cual les da una característica particular. Variedad de escalinatas, corredores y puertas comunican los edificios y plazas entre sí. Se puede observar que muchos de estos palacios fueron empleados como viviendas ya que en los cuartos aún se encuentran camas de piedra, encima de las que colocaban pieles y petates para dormir. El aumento de población fue un factor que obligó en determinados casos a realizar ampliaciones y remodelaciones internas en estos espacios arquitectónicos.

Uno de los edificios más conocidos y majestuosos es el llamado "Palacio Maler", nombrado de esa forma en honor al investigador que vivió en este lugar mientras realizaba trabajos en Tikal en 1895 y 1904, tal y como lo indica su firma

of the **Popol Vuh**: Hunahpu and Ixbalanque.

To the South of the Great Plaza a huge complex of residential and administrative palaces, the Central Acropolis, where the royal family of Tikal and their relatives lived, was erected.

This complex stretches for over 1.5 hectares and is made up of forty-five buildings which form six courtyards surrounded by two and three-story palaces, fashioned after the landscape which give it a very peculiar aspect.

A variety of stairways, halls and doorways communicate the buildings and the plazas. Many of these palaces were used as residences, as many of the chambers still display beds made of rock, over which skins and mats were placed for sleeping purposes.

The increase in population was a factor which compelled the inhabitants to enlarge and remodel these architectural spaces.

One of the best known buildings is the "Maler Palace", so named in honor of the investigator who occupied it while carrying out his research in Tikal between 1895 and 1904, as evidenced by his signature in one of the jambs of the main entrance.

Palacio Maler, ejemplo arquitectónico de manejo de espacios internos. Al fondo, la elevada crestería del Templo V

The Maler Palace, an architectural example of the use of interior spaces. In the background the tall roofcomb of Temple V appears

en una de las jambas de la puerta central. Otros palacios con numerosas habitaciones forman pequeñas plazuelas al frente del Palacio Maler, mientras que al Sur de la Acrópolis Central está la mayor reserva de agua del centro de Tikal.

La Plaza de los Siete Templos es llamada así por presentar en el lado Este siete templos del Clásico Tardío, aunque los orígenes de este grupo se remontan hasta el Preclásico. Varios palacios al Sur y Oeste rodean esta amplia plaza, que muestra en el lado Norte un triple juego de pelota, ejemplar único en todo el mundo Maya.

Al Oeste de la Plaza de los Siete Templos se ubica el complejo Mundo Perdido, área de 60 000 m² de extensión y 38 estructuras. Su ocupación se inició durante el Preclásico Medio, alrededor del año 800 a. C., y finalizó en el Clásico Terminal. La particularidad de este grupo consiste en que aquí se construyó el Complejo de Conmemoración Astronómica más antiguo del área Maya, que es un conjunto de estructuras que presentan un ordenamiento asociado a la observación de los astros, incluyendo los ciclos del Sol y Venus, así como solsticios y equinoccios. La estructura principal del grupo es llamada la Gran Pirámide

Other palaces with numerous chambers form small plazas in front of the Maler Palace, while the major water reservoir of Tikal is located south of the Central Acropolis.

The Plaza of the Seven Temples, so called because of the seven temples of the Late Classic Period it exhibits on the East side, dates back to the Preclassic Period. Many palaces to the South and West surround this spacious plaza, which displays on its North side a triple ball court, unique in the entire Maya World.

The complex of the Lost World, which covers an area 60 000 m² in size and comprises thirty-eight structures, is located to the West of the Plaza of the Seven Temples. Its occupation began during the Middle Preclassic Period, *circa* the year 800 B. C., and ended in the Terminal Classic. What is most remarkable about this group of buildings is that the Complex for Astronomical Commemoration was built here. This compound is the most ancient ensemble of Maya structures in a harmonious arrangement associated with the observation of the stars, including the cycles of Venus and the Sun, as well as solstices and equinoxes. The main structure of

(5C-54), tiene planta radial, se eleva 30 metros en altura, cuenta con mascarones, escalinatas en los cuatro lados y nunca tuvo templo en la cúspide. Hacia el Este, completando el Complejo de Conmemoración, se encuentra una larga plataforma que sostuvo tres templos, otrora utilizados como puntos de referencia visual para la observación de las estrellas y el control del tiempo.

La integración de Mundo Perdido con Acrópolis Norte se realizó mediante una calzada tendida durante el Preclásico Tardío; junto a ella se colocó un amplio drenaje que sirvió para captar agua de lluvia y dirigirla expresamente hacia la aguada principal de Tikal. El edificio 5D-86, que ocupa el eje central de la plataforma Este del Complejo de Conmemoración, tuvo un simbolismo particular ya que en la base de la escalinata se llevó a cabo un sacrificio ritual de 17 víctimas al inicio del Clásico Temprano y se considera probable que la Estela 39 (376 d. C.) haya estado colocada también en este mismo lugar.

the group is designated the Great Pyramid (5C-54).

It is a four-sided structure which stands thirty meters high. It displays masks and stairways on its four sides and never bore a temple on its summit. Towards the East, completing the Commemoration Complex, there is a long terrace which supported three temples, formerly used as visual reference for the observation of the stars and the marking of time.

The integration of the Lost World with the North Acropolis was done through a causeway laid out during the Late Preclassic period. Next to it, a spacious drainage was placed to collect rainwater and channel it towards the main reservoir of Tikal. Building 5D-86, which occupies the central axis of the East terrace of the Commemoration Complex, had a special meaning: at the foot of the stairway seventeen victims were sacrificed at the beginning of the Early Classic Period, and it is likely that Stela 39 (A. D. 376) was placed in this same location.

Gran Pirámide de Mundo Perdido (arriba) al inicio de su excavación (1980). A la derecha, la misma Pirámide restaurada, con sus mascarones flanqueando la escalinata central

Great pyramid of the Lost World (above) at the beginning of its excavation (1980). At right, the same pyramid after restoration with its masks flanking a central staircase

De particular interés fue el descubrimiento de seis tumbas colocadas en el interior de los tres templos del Complejo de Conmemoración, ya que pertenecen a personajes adultos e infantes que fueron sepultados al mismo tiempo y que eran miembros de un segmento del linaje dinástico "Garra de Jaguar", que perdió el poder posiblemente por luchas internas entre herederos al trono en el año 378 d. C. Según la lectura epigráfica, el personaje representado en la Estela 39 era de elevado estatus pero no era gobernante, ya que hace mención que su padre "Gran Garra de Jaguar II" era gobernante en 376 d. C., cuando se erigió el monumento.

Un edificio particular en Mundo Perdido es 5C-49, al Norte del grupo, que incluye en su fachada el tipo arquitectónico de talud tablero desde su construcción inicial entre 250 y 300 d. C., siendo el edificio más antiguo de Tikal con esta arquitectura. Durante el Clásico Tardío Mundo Perdido cambió de función, quizás hacia actividades más administrativas, y fueron construidos varios palacios residenciales al Norte del grupo, mientras que el Complejo de Conmemoración perdió su importancia ancestral y disminuyó su uso, al igual que estaba sucediendo en este mismo momento con el Complejo de Conmemoración en Uaxactún. Con el transcurso de los siglos Mundo Perdido estuvo sujeto a cambios y remodelaciones en sus cuatro lados, convirtiendo a este conjunto en un espacio prácticamente cerrado y de acceso reducido.

Particularly interesting was the discovery of six tombs placed in the interior of the three temples of the Commemoration Complex. They belonged to adults and children who were buried at the same time and who were members of a segment of the dynastic lineage known as "Jaguar Paw", who lost their power in the year A. D. 378 due to internal strifes among heirs to the throne. According to epigraphic readings, the character portrayed in Stela 39 is a high-ranking member of the community but not a ruler, since it mentions that his father "Great Jaguar Paw II" was monarch in A. D. 376, when the monument was erected.

A unique structure in the Lost World is building 5C-49, to the North of the group. Its façade belongs to the architectural type known as *talud tablero*. Its construction was begun between A. D. 250 and A. D. 300, making it the most ancient building in Tikal representative of that type of architecture. During the Late Classic, Lost World changed its function, probably becoming more administrative in nature. Many residential palaces were built to the North of the group, while the Commemoration Complex lost its ancestral importance and its use diminished. Simultaneously a similar fate befell the Commemoration Complex in Uaxactún. In the course of the centuries, Lost World was subject to changes and remodelings of its four sides, turning this complex into a practically enclosed space, with limited access.

*Arriba, ejemplo de talud-tablero, en Estructura 5C-49. Abajo, patios de Acrópolis Central
rodeados por palacios, con la sección superior de Templo I al fondo
Above, an example of* talud tablero *on Structure 5C-49. Below, plazas of the Central Acropolis
flanked by palaces with the upper section of Temple I in the background*

*Palacio Oeste del Grupo
Siete Templos*

*West Palace of the Group
of the Seven Temples*

*"Señor de los Espejos", ejemplar
iconográfico de gran valía*

*"Lord of the Mirrors", a great
iconographic example*

El Grupo 6C-XVI o "Grupo de los Mascarones" se encuentra al Sur de Mundo Perdido y es un importante conjunto con algunos edificios que emplearon talud-tablero alrededor del 350 d. C., así como un área dedicada al juego de pelota, como lo demuestran los murales con retratos de jugadores. Se considera que aquí se dio una variante del juego, que se realizaba contra escalones pintados en colores policromos. En este lugar existen edificios con decoración de mascarones que muestran relación entre lo natural y lo sobrenatural. La metáfora mejor utilizada se relaciona con el Sol Naciente como máxima divinidad, y el Jaguar del Inframundo como poder nocturno. Los mascarones más completos parecen representar deidades que emergen del interior de la tierra, probablemente asociadas con el Sol o Venus; mientras que un caso particular se da en el llamado "Señor de los Espejos", que por los diseños de concha, media concha y el glifo espejo que lleva en la pierna y debajo del brazo está indicando que no

Group 6C-XVI or the "Group of the Masks" is located to the south of Lost World. Some of its buildings exhibit the "talud tablero" architectural style *ca.* A. D. 350. It also includes an area dedicated to ball games, as evidenced by walls with paintings of players.

A slightly modified ball game was presumably played here, against polychrome-painted stairway steps. This place shelters buildings decorated with masks which depict the relationship between the natural and supernatural. The best used metaphor is associated with the Rising Sun as chief deity, and the Jaguar of the Underworld as nocturnal power.

The more complete masks seem to represent deities which ascend from the interior of the earth, probably associated with the Sun or Venus. A special case is that of a structure known as "Lord of the Mirrors" whom, by the designs of shells, half shells and a mirror glyph which he bears in his leg and under his arm, indicate that he is not

Palacios de Acrópolis Central mostrando bóvedas fragmentadas y escalinatas, ahora destruidas

Palaces of the Central Acropolis showing fragmented vaults and staircases now destroyed

*Mascarón de una deidad emergiendo de la tierra y
relacionada con el amanecer, como Sol o Venus*

*Mask of a deity emerging from the earth and
related to the dawn, possibly the Sun or Venus*

*Complejo Q de Pirámides Gemelas construido por
el soberano* Chitam *en el año 771 d. C.*
*Q Complex of Twin Pyramids built
by the ruler* Chitam *in the year 771 A. D.*

*Recinto Norte del Complejo Q, con arco falso y conjunto
estela altar en su interior, dedicado a* Chitam

*Northern Precinct of the Q Complex with the Maya arch and
the stela/altar compound in its interior, dedicated to* Chitam

es un dios sino un personaje histórico fallecido y que pasó a formar parte del reino sobrenatural.

Al final del Clásico Temprano este grupo fue completamente abandonado y sepultado para siempre, hasta que los arqueólogos lo sacaron a luz en 1981.

Un tipo especial de arquitectura fue instituido en Tikal y edificado entre los años 633 y 790 d. C., denominado como complejos de "Pirámides Gemelas" (L, M, N, O, P, Q y R).

Estos grupos rituales fueron construidos en distintos puntos de la ciudad y se considera que sirvieron para conmemorar fines de *katun* (períodos de 20 años).

Incluyen una pirámide radial en el lado Este y otra al Oeste; presentan un recinto sin techo al Norte con puerta abovedada de ingreso y en el interior

a god but a deceased historical personage who now forms part of the supernatural realm.

Towards the end of the Early Classic Period this group was entirely abandoned and buried forever, until it was unearthed by archaeologists in 1981.

A special type of architecture known as "Twin Pyramids" Complexes L, M, N, O, P, Q, and R, was introduced and erected in Tikal between A. D. 633 and A. D. 790. These ritual groups were built in different localities of the city and were presumably used to commemorate the ending of a *katun* (period of twenty years).

This include a four-sided pyramid on the East side and another to the West; to the North is a chamber with no roof, with a vaulted access, and a stela bearing the portrait of the ruler,

una estela con la imagen del gobernante del momento, así como un altar esculpido. Al Sur está un palacio de nueve puertas, número relacionado con los nueve niveles del inframundo.

En la base de la pirámide del Este fueron erigidas estelas y altares lisos, pero hasta el momento no existe una explicación satisfactoria de por qué no fueron esculpidos, aunque algunos consideran que pudieron estar pintados con colores polícromos que se perdieron con el paso del tiempo. Los complejos de Pirámides Gemelas responden a una ideología relacionada con la conmemoración del tiempo y su frecuencia en Tikal fue bastante grande, mas no lo es en otros sitios Mayas.

Otro conjunto importante es el Grupo P, unido por varias calzadas con el centro de Tikal; aquí fue donde se descubrió una escultura humana en bulto que lleva jeroglíficos en la espalda y que actualmente se exhibe en el Museo de Tikal.

Por su parte, el Grupo de las Acanaladuras se compone de palacios residenciales que presentan una arquitectura particular y cuenta con numerosos cuartos que incluyen bancas para dormir. Por su parte, la Acrópolis Sur nunca ha sido excavada pero se sabe que su enorme edificación de 24 m de alto tiene una base cuadrangular que cubre 2.2 hectáreas y en su cima expone cuatro grandes palacios en torno a un templo central.

Sin embargo, quizás las muestras arquitectónicas que hacen de Tikal un lugar tan especial se encuentran en los grandes templos alzados durante el Clásico Tardío, desde los cuales puede do-

as well as an inscribed altar, in the interior. To the South there is a nine-door palace, a number associated with the nine levels of the underworld. At the base of the Eastern pyramid many plain stelae and altars were erected, but there is no plausible explanation as to why they were not inscribed, although some consider that they could have been painted with polychrome colors which faded away with time.

The complexes of the Twin Pyramids respond to an ideological theme associated with the commemoration of time, frequently used in Tikal but not in other Maya sites.

Group P, another important group of structures, is connected by means of various causeways with the center of Tikal. It was here that a full-rounded sculpture, with hieroglyphs on its back, was discovered, and is presently in exhibition at the Museum of Tikal.

The Group of the Fluted Façades it is composed of residencial palaces which exhibit a very particular type of architectural style, with numerous chambers with benches for sleeping.

The South Acropolis has never been excavated, but we know that its huge construction rises twenty-four meters and has a quadrangular base which covers 2.2 hectares. Its summit displays four big palaces around a central temple.

The architectural monuments which make Tikal so special, however, are the great temples erected during the Late Classic Period, from which the horizon

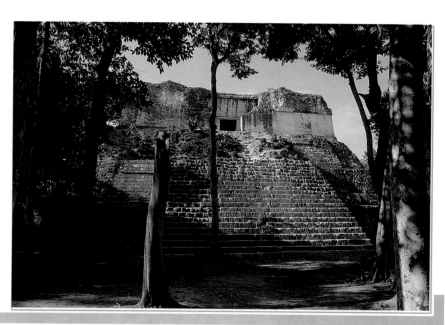

Palacio principal del Grupo P
Principal Palace of Group P

Escultura en bulto llamada "Hombre de Tikal"

Full round sculpture called "the man of Tikal"

*Templo IV, el edificio más grande de Tikal,
erigido por* Yaxkin Chaan K'awil

*Temple IV, the largest building of Tikal built
by the ruler* Yaxkin Chaan K'awil

minarse el horizonte y perderse la vista a varios kilómetros de distancia en la selva verde. Con excepción de los Templos I y II, los otros no han sido excavados sino únicamente consolidados en su sección superior, donde están los cuartos y su majestuosa crestería. Casi todos se comunican entre sí por medio de amplias calzadas, las que fueron lugares para caminar y espacios donde transitaron las procesiones llevando en hombros a los gobernantes. El Templo IV fue construido cerca del 740 d. C., es el mayor de todo el área maya, con 65 m de alto, y se estima que en su construcción fueron empleados 228 000 m³ de relleno.

El Templo V, elegante edificación de 57 m, fue realizado cerca del 750 d. C., cuenta con una monumental crestería y es el único que no presenta estela y altar asociados al basamento. El Templo VI es el menor de todos y se le llama "Templo de las Inscripciones" debido a que en la parte posterior de su crestería presenta una larga inscripción glífica que fecha su construcción para el 766 d. C.

La última de las grandes estructuras que fue erigida es el Templo III, que cuenta con un bello ejemplar de crestería espigada, alcanza 55 m de alto y se realizó alrededor del año 810 d. C.

is lost in a sea of green. With the exception of Temples I and II, the others have not been excavated, but their upper parts, with their chambers and magnificent cresting, have been consolidated. Most of them are joined by spacious causeways used as walking paths, where parades marched through carrying the rulers on their shoulders. Temple IV was built *ca.* the year A. D. 740; it is the biggest of the temples of the Maya area, standing sixty-five meters tall. An estimated 228 000 m³ of fill were used in its construction. Temple V, fifty-seven meters tall, was erected *ca.* A. D. 750.

It displays a magnificent roofcrest and is the only one which does not exhibit a stela and an altar with its terrace. Temple VI, the smallest of them, is called "Temple of the Inscriptions" because it has a long glyphic inscription on the back side of its roofcrest which dates its construction to the year A. D. 766. The last of the great structures to be erected *ca.* A. D. 810 is Temple III, which displays a beautiful example of stylistic cresting and stands fifty-five meters tall.

*El espigado perfil de la cresta del Templo III
emerge entre la selva de Tikal*

*The slender profile of the roofcomb of Temple III
emerging from the Tikal jungle*

Lo que se pensaba de los Mayas

Los estudios de la primera mitad de este siglo consideraron a los Mayas como una sociedad rectorada por pacíficos gobernantes que ocupaban la mayor mayor parte del tiempo en celebrar ceremonias religiosas, cálculos matemáticos y observaciones astronómicas. Se creyó que la escritura estaba dedicada exclusivamente a asuntos sagrados y esotéricos, relacionados con los astros celestes y deidades regentes.

Asimismo, se supuso que todas la ciudades mayas eran habitadas únicamente por los gobernantes y sacerdotes y que las personas de estratos inferiores eran fieles y obedientes súbditos de los primeros. Se postuló a los Mayas como un ejemplo de sociedad pacífica, a tal grado que Sylvanus Morley los denominó como *Los Griegos de América*. La ocupación de los sitios fue propuesta con base en las investigaciones de los grandes centros arqueológicos, como Uaxactún, Holmul y Tikal. Pero la falta de excavaciones profundas no permitió conocer con detalle las evidencias culturales de mayor antigüedad que guardan las grandes pi-

Past assumptions on the Maya

Results of investigations undertaken during the first half of this century led experts to believe that the Maya society was governed by peaceful rulers who spent most of their time celebrating religious ceremonies, mastering mathematical calculations and recording astronomical observations. Their written records were presumably addressed to sacred and esoteric matters describing heavenly bodies and reigning deities.

It was likewise believed that all Maya cities were inhabited only by the rulers and high priests, and that people who belonged to the lower class were loyal and obedient subjects of the ruling class. The Maya were regarded as an example of a peaceful society, to the extent that Sylvanus Morley called them the *Greeks of America.*

The duration of the occupation of the sites was proposed in accordance to investigations of the major archaeological centers, such as Uaxactún, Holmul and Tikal. The lack of in-depth excavations did not permit more ancient

Inscripciones jeroglíficas talladas en hueso.
Glifo emblema de Tikal en el ejemplar de la derecha

Hieroglyphic inscription carved in bone.
Tikal's emblem glyph can be seen in the example at right

rámides en su interior, por lo que muy poco pudo saberse de las manifestaciones del Período Preclásico. Esto hizo que durante mucho tiempo se considerara al Período Clásico como la única época de esplendor en la cultura Maya y se creyera que en ese lapso había sido descubierto el uso del arco falso para las bóvedas de los palacios, así como ejecutada la erección de monumentos esculpidos.

Por décadas se dijo que en las Tierras Bajas no había suficiente piedra para construcción de los edificios, que era una región escasa de agua y que el suelo no tiene los nutrimentos suficientes para dar buenas cosechas, por lo que las personas se preguntaban ¿cómo hicieron los Mayas para vivir en estas condiciones y lograr alcanzar su gran desarrollo?

cultural evidence, buried deep inside the great pyramids, to come to light and therefore little is known about the Preclassic Period. This led experts to believe that the only era of great splendor in the Maya culture was the Classic Period, when the use of the false arch for the vaults of the palaces was discovered and inscribed monuments were erected.

For decades it was claimed that there was not enough stone in the Lowlands for the construction of buildings, that it was a region with little water and that the soil did not have enough nutrients for good crops. How did the Maya manage to survive under these conditions and achieve their amazing development?

Las Nuevas Interpretaciones Arqueológicas

Investigaciones recientes en Tikal y otros centros de Tierras Bajas han demostrado grandes cambios y avances en relación a lo que se consideraba anteriormente. Por ejemplo, se ha comprobado que la roca caliza tuvo gran importancia para los antiguos Mayas, quienes aprovecharon los bloques mayores para esculpir altares y estelas, mientras que los menores eran para la construcción de edificios. De la piedra caliza fabricaban también la cal usada en albañilería, material que es la base del "estuco" o repello para recubrir las paredes de los edificios antes de pintarlos.

Por su parte, el problema del agua fue manejado con el recurso de las "aguadas", que son grandes depósitos a manera de lagunetas, donde se reservaba el líquido captado durante la temporada de lluvia. Las aguadas son de diverso tamaño y por lo general tuvieron una aplicación de arcilla o estuco en el fondo para evitar que el agua fuera absorbida por la tierra. Se sabe que también algunos *chultunes* (cavidades en la roca caliza) fueron perforados para guardar este

New Archaeological Interpretations

Recent investigations in Tikal and in other Lowland centers have overturned previous postulates. For example, we now know that limestone was of great importance for the ancient Maya, who used it diversely.

The bigger blocks were used to engrave altars and stelae, while the smaller ones were employed for the construction of buildings. From limestone they obtained lime cement for masonry, the basis for the stucco or plaster which coated the walls of the structures before being painted.

The problem of water shortage was overcome by the use of huge deposits of water similar to lagoons, where the precious liquid collected during the rainy season was stored.

These reservoirs had different sizes and the bottom was usually given a coating of clay or stucco to keep the water from being absorbed by the soil. Some *chultunes* (limestone cavities) were perforated to store this vital liquid.

vital líquido. Los Mayas descubrieron además el empleo de la agricultura intensiva para que la tierra diera más rendimiento, lo que les permitió obtener mayores cosechas y abundantes productos a través del uso de terrazas y sistemas hidráulicos variados.

Gracias a la orientación que tomaron los proyectos arqueológicos a partir de los años sesenta, los Mayas principiaron a ser contemplados desde una nueva visión, más naturalista y humana. Se continuó con el estudio de la élite dirigente pero cobró gran énfasis la investigación de las manifestaciones culturales de los pobladores de menor jerarquía social, que habitaron las casas que rodean los grandes edificios y palacios del cen-

The Maya discovered the use of intensive agriculture to increase the productivity of the soil, which allowed them to have more abundant crops through the use of terraces and other hydraulic systems.

Owing to the trend of archaeological projects during the sixties, the Maya were regarded from a more naturalistic and humanistic point of view.

Research regarding the ruling elite was continued, but more emphasis was placed on the investigation of the cultural manifestations of lower-ranking inhabitants who lived in the residences surrounding the big buildings and palaces of the ceremonial center.

Reserva de agua denominada "Aguada Tikal"

Water reservoir called "Aguada Tikal"

tro ceremonial. Tikal fue uno de los primeros lugares en que se aplicó este concepto enfocado a conocer la forma de vida de la población y su medio ambiente, dentro de los estudios conocidos como "patrón de asentamiento". El principal objetivo fue conocer la manera de vida, el ecosistema, costumbres alimenticias, sistemas agrícolas, relaciones familiares y cualquier otro tipo de información que ayudara a comprender con mayor detalle la forma de existencia diaria de la gente del pueblo.

Asimismo, los avances logrados en la interpretación de los jeroglíficos ha enri-

Tikal was one of the first sites where research was focused on getting a better knowledge of the lifeways and environment of the general population —a study otherwise known as "settlement patterns".

The main objective was to understand the way of life, ecosystem, eating habits, agricultural systems, family relationships and other types of information which would asset in the understanding of the daily lives of the commoners.

Likewise, advances in the interpretation of the hieroglyphs have enriched the knowledge of the history of this

quecido el conocimiento de la historia de esta sociedad. Aunque a través de la epigrafía se ha identificado nombres, títulos nobiliarios, relaciones familiares, visitas reales, matrimonios dinásticos, problemas guerreros y otros elementos más, debe recordarse que los textos escritos están transmitiendo la "historia oficial", es decir, nos hablan únicamente de la clase dirigente y miembros de la élite, pero en ningún momento están refiriéndose a los habitantes de escasos recursos, agricultores y constructores.

Un dato que debe resaltarse también es que en los últimos años se ha recuperado pruebas de que los Mayas no era un pueblo totalmente pacífico, ya que hay muestras de actividades bélicas entre ellos. Por medio de los jeroglíficos y las evidencias de campo se ha comprobado que los mayas tuvieron diversos tipos de guerra con el transcurso de los siglos. Inicialmente parecen haber sostenido guerras menos violentas, donde el objetivo central era capturar al gobernante del grupo contrario y al sacrificarlo se estaba matando de manera implícita a su pueblo, pero a fines del siglo VII se observa una guerra destructiva, especialmente en la región de Petexbatun. Se sabe que Tikal construyó largas trincheras o fosos defensivos de cuatro y medio metros de profundidad al final del Clásico Temprano, localizados 4.5 km al Norte y ocho km al sureste del centro de la ciudad, indudablemente para protegerse de posibles ataques enemigos. Según el registro epigráfico, Tikal tuvo guerras victoriosas contra diferentes ciudades, tales como Uaxactún, Yaxha, Calakmul, El Perú y otras, pero también perdió algunas, como el caso de las sostenidas contra Caracol y Dos Pilas.

Merced a los trabajos efectuados en las áreas habitacionales, y a los avances en las lecturas jeroglíficas, los antiguos pobladores de Tikal son ahora vistos como hombres de carne y hueso, y no como dioses. Al presente se sabe que esa población fue una sociedad estratificada y compleja, la que va siendo comprendida poco a poco con el paso del tiempo y gracias a los datos recuperados en las excavaciones.

society. Although many names, titles, family relationships, royal visits, dynastic marriages, warfare problems and other components have been identified through epigraphy, we must keep in mind that these written texts transmit the "official history".

In other words, they offer information regarding the ruling class and members of the elite only, and practically no facts about low-income citizens, farmers and construction workers.

In the past few years evidence has been retrieved which confirms the fact that the Maya were not a totally peaceful people: proof of combat activities among them is conclusive.

Hieroglyphic texts and field evidence have established that the Maya conducted different types of warfare in the course of the centuries.

Initially, they seem to have waged less violent wars, whose main purpose was to capture the ruler of a rival group and sacrifice him, thereby implicitly killing his people.

Towards the end of the seventh century, however, they waged destructive warfare, particularly in the region of Petexbatun. It is known that Tikal built long trenches or defensive pits 4.5 m deep towards the end of the Early Classic Period, located 4.5 km to the North and 8.0 km to the Southwest of the center of town, undoubtedly to protect themselves from enemy attacks.

According to the epigraphic record, Tikal waged victorious wars against different cities, including Uaxactún, Yaxha, Calakmul, El Perú and others, but also lost some, such as the wars against Caracol and Dos Pilas.

Thanks to the work done in the area of residential compounds and to advances in hieroglyphic readings, the early settlers of Tikal are now seen as common, ordinary people, and not as gods. Today we know that the population of Tikal was a stratified and complex society which is gradually coming to be appreciated due to data recovered from excavations.

Prisionero, en escultura del Clásico Tardío
The prisoner, a Late Classic sculpture

Los Gobernantes
y la Historia Dinástica de Tikal

No se cuenta con registro alguno de nombres o dinastías de los gobernantes del Preclásico Tardío en Tikal, debido a que no se ha descubierto monumentos glíficos de ese período que incluyan esos datos. Sin embargo, gracias a las evidencias arqueológicas e iconográficas encontradas en varios entierros de la Acrópolis Norte, se sabe que por lo menos dos soberanos fueron sepultados en ese lugar. Ellos fueron los personajes identificados en los Entierros 166 y 85, fechados para los años 50 a. C., y 1 d. C.

Al iniciarse el Período Clásico Temprano aumentaron los monumentos esculpidos, realizados en piedra caliza local, y principió un registro escrito contentivo de eventos y datos biográficos de cada gobernante. En Tikal existe un registro documentado de 577 años de secuencia dinástica, el que principia en el 292 y finaliza en el 869, ambos de la era Cristiana Además, los avances logrados en los estudios epigráficos han permitido conocer con mayor detalle algunos nombres de gobernantes, fechas, relaciones de parentesco y títulos nobiliarios de las figuras que ocuparon posi-

The Rulers of Tikal
and their Dynastic History

There is no record of the names or dynasties of the rulers of the Late Preclassic Period in Tikal because no glyph monuments have been discovered dating back to this period. Thanks to archaeological and iconographic evidence found in various burials of the North Acropolis, we know that at least two rulers were buried here.
They are the individuals identified in Burials 166 and 85, which date back to the years 50 B. C. and A. D. 1 respectively.

Once the Early Classic Period had begun, the number of inscribed monuments built with local limestone increased, and a written record of events and biographical data for each ruler was begun. There is a documented record of 577 years of dynastic sequence in Tikal, which begins in the year A. D. 292 and ends in the year A. D. 869. Furthermore, advances in epigraphic studies have permitted us to know in greater detail the names of some of the rulers, dates, family relationships and nobility titles of individuals who occupied high-ranking positions during the Classic period.

*Estela 29 con la figura del gobernante
"Jaguar Decorado"*

*Stela 29 with a portrait of the ruler
"Decorated Jaguar"*

ciones preponderantes durante el período Clásico. Los trabajos de muchos investigadores han sido tomados en consideración para presentar la secuencia dinástica siguiente.

En Tikal, al igual que sucede con la dinastía de Palenque y de Copán, se hace mención a un personaje fundador del linaje, quien en Tikal es llamado *Yax Moch Xoc*. Actualmente se desconoce si este individuo existió en la realidad o si únicamente se hacía referencia a él como un ser mitológico dentro de la historia. Empero, algunos investigadores consideran más bien que este es el soberano a partir del cual los gobernantes del período Clásico determinaban su puesto en la sucesión dinástica.

Las primeras evidencias sobre los soberanos de Tikal aparecen en la Estela 29, donde se cita a un gobernante conocido con el nombre de "Jaguar Decorado", quien se encontraba en el desempeño de sus funciones para el año 292 d. C. Es el primer mandatario, conocido, que porta en sus manos y en su atuendo toda la simbología y elementos iconográficos asociados con su cargo real. Este personaje debió ser de gran importancia, pues varios siglos más tarde se hace mención

The work of many researchers has been taken into consideration in order to present the following dynastic sequence.

In Tikal, just as with the dynasty of Palenque and Copán, a founder of the lineage is cited, *Yax Moch Xoc.*

At present it is not known if this individual really existed or if he is mythical and legendary. Some investigators, though, consider that he is the ruler from which later governors of the Classic period determined their position in the dynastic history.

The first evidences regarding the rulers of Tikal appear in Stela 29, where a governor known as "Decorated Jaguar" is cited as performing his royal duties towards the year A. D. 292.

He is the first known ruler who bears in his hands and in his attire all the symbolism and iconographic elements associated with royal tenure.

He must have been an important personage, since many centuries later he is cited in Stela 31 when the ancient history of Tikal is recalled.

a él, en la Estela 31, cuando se habla de la historia antigua de Tikal.

A "Jaguar Decorado" le sucedieron en el poder los gobernantes "Gran Garra de Jaguar I" (317 d. C.) y "Cero Pájaro", quien subió al trono en el 320 d. C. y que aparece representado en la famosa Placa de Leyden, ricamente ataviado con toda la parafernalia utilizada por los gobernantes del inicio del Clásico Temprano: tocado con cabezas de deidades, barra ceremonial con imágenes duales del Dios Sol en un extremo y del Dios K en el otro, cinturón real con la cabeza del Dios Jaguar del Inframundo y placas de jade, así como un prisionero a sus pies.

Algunos epigrafistas han indicado recientemente la probabilidad de que este personaje no haya sido gobernante de Tikal, aunque porta todos los atributos de los soberanos del Clásico Temprano.

Si esto fuera correcto, entonces es posible que los gobernantes "Gran Garra de Jaguar I" y "Gran Garra de Jaguar II" sean una sola persona —"Gran Garra de Jaguar I"— con un largo reinado que abarcaría desde por lo menos el año 320 hasta poco después del 376 d. C.

De lo contrario, a la muerte de "Cero Pájaro" le sucedió en el trono su hijo "Gran Garra de Jaguar II", quien es identificado como el noveno gobernante y que aparece mencionado en la Estela 39 para el año 376 d. C. Se considera que con la subida al trono de este soberano se inició en Tikal una época de gran esplendor, la que continuaría con los reinados de sus descendientes —*Huh Chaan Mah K'ina* ("Nariz Rizada") y *K'awil Chaan* ("Cielo Tormentoso")— cubriendo entre los tres un período aproximado de 100 años de gloria y boato, que culminó en el 456 d. C., con la muerte del último mencionado. Al correr el año 378 d. C., Tikal conquistó militarmente Uaxactún, con un ejército comandado por "Rana Humeante" —hermano menor de "Gran Garra de Jaguar II"—, victoria que tuvo gran trascendencia en el área maya central pues con ello Tikal anuló

"Decorated Jaguar" was succeeded by "Great Jaguar Paw I" (A. D. 317) and "Zero Bird", who acceded to power in the year A. D. 320. The latter is represented in the famous Leiden Plate, richly draped with all the paraphernalia used by the rulers of the beginning of the Early Classic period: headdress with portraits of deities, staff of office with dual images of the Sun God in one end and the God K in the other, royal waistband with the head of the Jaguar God and jade plaques, as well as a prisoner at his feet.

Some epigraphers have recently pointed out the possibility that this personage may not have been a ruler of Tikal.

If this were true, then it is possible that rulers "Great Jaguar Paw I" and "Great Jaguar Paw II" are one and the same person —"Great Jaguar Paw I"— with a long-lived reign which extended from A. D. 320 to A. D. 376.

Otherwise, upon "Zero Bird's" death he was succeeded in the throne by his son "Great Jaguar Paw II", who is identified as the ninth ruler and who is cited in Stela 39 for the year A. D. 376.

With his accession to the throne Tikal begins an era of great splendor, which would continue with the reigns of his descendants —*Huh Chaan Mah K'ina* ("Curl Nose") and *K'awil Chaan* ("Stormy Sky")— the three of them covering a period of approximately 100 years of glory and grandeur, which culminated in the year A. D. 456 with the death of "Stormy Sky".

In the year A. D. 378, Tikal conquered Uaxactún with an army commanded by "Smoking Frog" —younger brother of "Great Jaguar Paw II"—, a significant victory for Tikal, who practically nullified its nearest rival.

ESTELA
4

Pág., anterior: Imagen del gobernante Huh Chaan Mah K'ina *("Nariz Rizada") en la Estela 4*

Previous page: A portrait of the ruler Huh Chaan Mah K'ina *("Curl Nose") on Stela 4*

Estela 31 (detalle): K'awil Chaan *("Cielo Tormentoso"), el soberano más famoso de Tikal en el Clásico Temprano*

Stela 31 (detail): K'awil Chaan *("Stormy Sky"), the most famous ruler of Tikal in the Early Classic*

prácticamente a su más cercano compertidor. "Rana Humeante" debió ser visto como un individuo de gran particularidad, al combinar su sangre real con el coraje y valentía de un triunfador en la guerra, convirtiéndose así en un personaje especial, hecho que puede confirmarse al ser instalado como gobernante de Uaxactún en ese mismo año. Con dicha victoria Tikal extendió su dominio territorial y su control político con una nueva y más amplia frontera hacia el Norte, extendida por más de 100 km, incluyendo el sitio de Río Azul.

La importancia de "Rana Humeante" resalta aún más pues en la Estela 31 se indica que bajo su tutela asciende al trono el décimo gobernante de Tikal en el año 379 después de Cristo: su sobrino *Huh Chaan Mah K'ina* ("Nariz Rizada"), hijo de "Gran Garra de Jaguar II". Este, *Huh Chaan Mah K'ina*, es sucedido por su hijo *K'awil Chaan* ("Cielo Tormento-so") en el 426 d. C., convirtiéndose en el 11° mandatario de Tikal. Con este personaje continuó la prosperidad, motivada quizá por el establecimiento de nuevas rutas de comercio y por el fortalecimiento de alianzas políticas que permitieron expandir su esfera de influencia.

Se ha considerado que durante los reinados de *Huh Chaan Mah K'ina*

"Smoking Frog" must have been quite a character, blending his royal blood with the boldness and bravery of a conqueror, thus acquiring great notoriety, as evidenced in his inauguration as governor of Uaxactún that very same year. With this victory Tikal extended its territorial domain and its political power 100 km towards the North, including the site of *Río Azul*.

The prominence of "Smoking Frog" is highlighted in Stela 31, which cites that under his leadership the tenth governor of Tikal succeeded to the throne in the year A. D. 379: his nephew, *Huh Chaan Mah K'ina* ("Curl Nose"), son of "Great Jaguar Paw II".

Huh Chaan Mah K'ina was succeeded by his son *K'awil Chaan* ("Stormy Sky") in the year A. D. 426, becoming the eleventh ruler of Tikal.

The prosperity of Tikal continued under his rule, possibly owing to the establishment of new trade routes and to the strengthening of political alliances.

It has been thought that during the reigns of *Huh Chaan Mah K'ina* ("Curl Nose") and his son *K'awil Chaan* ("Stormy Sky"), Tikal extended its cultural relations towards other locations of the Maya world, such as

("Nariz Rizada") y su hijo *K'awil Chaan* ("Cielo Tormentoso") Tikal amplió sus relaciones culturales hacia otros lugares del área Maya, tales como Kaminaljuyu y Copán. Asimismo mantuvo contactos con Teotihuacan en el altiplano de México, lo que se evidencia por la presencia, en Tikal, de bienes elitistas con connotaciones foráneas, tales como vasijas cilíndricas trípodes estucadas y po–lícromas con iconografía "teotihuacana", artefactos de obsidiana verde, edificios con talud-tablero y monumentos con iconografía militar de carácter también "teotihuacano".

Al mismo tiempo que en Tikal estaban gobernando *Huh Chaan Mah K'ina* y *K'awil Chaan*, en Uaxactún ostentaban el poder los descendientes de "Rana Humeante" y por lo tanto familiares cercanos de los soberanos de Tikal. Asimismo, se considera que el llamado "Gobernante X" de Río Azul fue también un pariente cercano de la familia real de Tikal que se encontraba ocupando el trono entre 434-463, por lo que se observa una política de dominación comandada desde Tikal.

El siglo que sigue a la muerte de "Cielo Tormentoso" se caracteriza por un descenso en el nivel de riqueza y un incremento en la austeridad general. El siguiente gobernante fue "Jabalí Kan" (475 d. C.) pero aparentemente no era el legítimo heredero, por lo que se considera que en este momento existieron problemas en la línea dinástica. Le sucedió su hijo "Calavera Gran Garra de Jaguar III" (488 d. C.) quien casó con una mujer de la familia real de Tikal, quizás para legitimar su derecho al trono. Luego del gobierno de "Calavera Gran Garra de Jaguar III" parece haber existido problemas internos en Tikal y no se tiene datos de sus sucesores, hasta el arribo del gobierno de "Cabeza con Rizo", en 527 d. C.

La secuencia dinástica continúa con "Calavera Gran Garra de Jaguar IV", quien aparentemente tuvo un gobierno muy corto, heredado luego a su hijo "Doble Pájaro", que subió al trono en el 537 d. C. "Doble Pájaro" derrotó y decapitó a un noble de Caracol en el 556 d. C., pero posteriormente, en el 562 d. C., sufrió una desastrosa derrota ante el "Señor Agua" de Caracol, suceso que

Kaminaljuyu and Copán. It also maintained contact with Teotihuacan in the Mexican highlands, which is evidenced by the presence in Tikal of imported high quality goods such as stucco and polychrome tripod bowls with "Teotihuacan" iconography, green obsidian artifacts, *talud-tablero* buildings and monuments bearing Teotihuacan military iconography.

At the same time that Tikal was being governed by *Huh Chaan Mah K'ina* and *K'awil Chaan*, Uaxactún was ruled by the descendants of "Smoking Frog", close relatives of the rulers of Tikal.

Likewise, it is considered that "Ruler X" of Rio Azul was also a close relative of the royal family of Tikal who occupied the throne between A. D. 434-463. Thus, a pattern of domination dictated by Tikal was observed during this span of time.

The century which follows the death of "Stormy Sky" is typified by a drop in the level of prosperity and an increase in austerity.

The next ruler was "Kan Boar" (A. D. 475), apparently not the legitimate successor, meaning that the dynastic lineage was going through some serious troubles.

He was succeeded by his son "Skull Great Jaguar Paw III" (A. D. 488), who married a woman of the royal family of Tikal, possibly to legitimize his right to the throne.

After the reign of "Skull Great Jaguar Paw III", internal problems seem to have arisen in Tikal, and no data about his successors is available, until the reign of "Curl Head" in A. D. 527.

The dynastic sequence continues with "Skull Great Jaguar Paw IV", who apparently had a very short-lived reign. His heir was his son, "Double Bird", who succeeded to the throne in A. D. 537.

"Double Bird" conquered and beheaded a noble from Caracol in A. D. 556, but subsequently suffered a devastating defeat against "Lord Water" from Caracol, an event which appears to have kindled dynastic quandaries and political instability in Tikal.

Gobernante "Jabalí Kan" en Estela 9
The Ruler "Kan Boar" on Stela 9

parece haber provocado problemas dinásticos e inestabilidad política en Tikal. Esto se sugiere en vista de que el sucesor de Doble Pájaro, llamado "Calavera de Animal" (593 d. C.), ha sido considerado como un intruso en el poder ya que el nombre de su padre no corresponde a ninguno de los glifos nominales de los soberanos conocidos de Tikal. La época que continuó tras la muerte de "Calavera de Animal" se caracteriza por una crisis en el poder político de Tikal, reflejada en el descenso adquisitivo de bienes suntuarios y en el empobrecimiento del arte y la arquitectura del centro.

Otro síntoma claro de los problemas por los que atravesaba el gobierno se manifestó con el exilio de una rama de la familia dinástica de Tikal, que emigró hacia la región de Petexbatún y fundó el sitio de Dos Pilas alrededor del 645 d. C.

El siguiente gobernante fue "Escudo Calavera", quien aparentemente reinstaura el poder dinástico de la familia real y logra un inicio paulatino de prosperidad en el sitio, reactivando la industria de cerámica polícroma local y el acceso a materiales foráneos llegados a través de las reiniciadas vías comerciales, objetos que fueron colocados como

This is suggested by the fact that "Double Bird's" successor, "Animal Skull" (A. D. 593) has been considered a usurper of the throne, since his father's name does not correspond to any of the name glyphs of the known rulers of Tikal.

The period following "Animal Skull's" death is characterized by a crisis in the political power of Tikal, as revealed in a decline in the procurement of luxury goods and in the impoverishment of the arts and architecture of the center. Another obvious symptom of the serious problems faced by the ruling elite is seen in the exile of a branch of the dynastic family of Tikal, who emigrated to the region of Petexbatun and founded the site of Dos Pilas around the year A. D. 645.

The next ruler was "Shield Skull", who apparently restored the dynastic power of the royal family and gradually secured some degree of prosperity in the site, reactivating the local industry of polychrome ceramics and the access to foreign goods acquired through reopened commercial routes, objects which were placed as part of the elite

*Estela 12, representando al gobernante
"Cabeza con Rizo" (527 d. C.)*

*Stela 12, portraying the ruler
"Curl Head" (527 A. D.)*

parte de las ofrendas en los entierros elitistas. Sin embargo, su gestión como dirigente no fue del todo exitosa pues fue capturado y sacrificado en el año 679 d. C., por el Gobernante 1 de Dos Pilas, quien aparentemente reclamaba el trono de Tikal y quien posiblemente era su hermano o medio hermano. A pesar de la derrota ante Dos Pilas, "Escudo Calavera" fue sucedido en el trono por su hijo, el Señor *Ha Sawa Chaan K'awil* (anteriormente nombrado *Ah Cacaw*, o, Señor A) en el 682 d. C. Este personaje vino a cambiar el curso de la historia y a desvanecer los años oscuros al iniciar una época de revitalización en Tikal, confirmando la supremacía del sitio y gloria de la dinastía real gracias a un largo gobierno que duró 51 años, hasta su muerte en el 733 d. C. El es el responsable de realizar un ambicioso programa de nuevas y voluminosas construcciones en la Gran Plaza y en el resto de la ciudad, renovó el ritual religioso, practicó la guerra contra otros pueblos y amplió las relaciones de Tikal por medio de alianzas políticas y matrimoniales hasta regiones lejanas como Piedras Negras y Yaxchilan, sobre el río Usumacinta y Copán en Honduras.

Ha Sawa Chaan K'awil condujo dos guerras victoriosas contra Calakmul en el 695 d. C., capturando y sacrificando dos nobles de ese lugar, siendo uno de ellos el gobernante "Garra de Jaguar" de Calakmul, quien era el principal aliado de Dos Pilas.

burial offerings. Nevertheless, his tenure as ruler was not alltogether successful, since he was captured and sacrificed in the year A. D. 679 by Ruler 1 of Dos Pilas, who was apparently claiming the throne of Tikal and who was possibly his brother or half brother.

In spite of the defeat by Dos Pilas, "Shield Skull" was succeeded by his son, Lord *Ha Sawa Chaan K'awil* (formerly designated as *Ah Cacaw* or Ruler A) in the year A. D. 682.

This individual changed the course of history and vanquished the dark years when he began an era of revitalization in Tikal, confirming the supremacy of the site and the glory of the royal dynasty thanks to a long-lived rule of fifty-one years, until his death in A. D. 733. He is responsible for an ambitious program of new and massive constructions in the Great Plaza and in the rest of the city.

He renovated religious rituals, practiced warfare against other cities and extended Tikal's relations through political and marriage alliances to remote regions such as Piedras Negras and Yaxchilan on the Usumacinta River, and Copán in Honduras.

Ha Sawa Chaan K'awil conducted two victorious wars against Calakmul in the year 695 A. D., capturing and sacrificing two nobles of the center. One of them was ruler "Jaguar Paw" of Calakmul, main ally of Dos Pilas.

Acrópolis Norte, con los templos edificados por los soberanos del Clásico Temprano

North Acropolis with the temples built by the Early Classic Rulers

No hay duda de que, durante el reinado de *Ha Sawa Chaan K'awil*, Tikal se convirtió en una metrópoli, incrementó desmesuradamente su población anterior, alcanzó enorme poder político en el área maya y un elevado desarrollo en las artes y arquitectura, lo que se manifiesta también en la construcción de masivos templos con elevadas cresterías profusamente adornadas con mascarones e imágenes de deidades, así como por la riqueza de su tumba, el Entierro 116 descubierto en el interior del Templo I.

A la muerte de *Ha Sawa Chaan K'awil* le sucedió en el poder su hijo *Yaxkin Chaan K'awil* (anteriormente Señor B) en el 734 d C., quien reinó durante 32 años. Se sabe que este soberano tenía una edad de entre 60 a 80 años al momento de su deceso, como indican los textos referidos a él en los Templos IV y VI. Este fue el gobernante más prolífico en la construcción de monumentales edificaciones públicas, dentro de las que destaca el Templo IV, el mayor del sitio. Como mandatario dirigió una guerra exitosa contra Yaxhá en el 743 d. C., y posiblemente el dominio de Tikal se prolongó por largo tiempo sobre esta plaza conquistada, ya que alrededor del 793 d. C., se construyó en Yaxhá un complejo de Pirámides Gemelas, con-

There is no doubt that during the reign of *Ha Sawa Chaan K'awil*, Tikal became a metropolitan city, dramatically increasing its population, reaching enormous political power in the Maya world and attaining heightened development in the arts and architecture. This is also evidenced in the construction of massive temples with elevated roofcrests, profusely embellished with sculptured masks and images of deities, as well as by the wealth of his tomb, Burial 116, discovered in the interior of Temple I.

At the death of *Ha Sawa Chaan K'awil*, his son, *Yaxkin Chaan K'awil* (formerly Ruler B), acceded the throne in the year A. D. 734 and ruled for thirty-two years. At the time of his death he was sixty to eighty years old, as indicated in the texts which make reference to him in Temples IV and VI.

He was the most prolific ruler in terms of construction of monumental public works, among which Temple IV stands out as the most towering of them all. As a ruler he waged a triumphant war against Yaxha in the year A. D. 743; most probably the control of Tikal over this center prolonged itself for a long time, since around A. D. 793 a complex of Twin Pyramids was built in Yaxha,

juntos arquitectónicos que habían estado reservados exclusivamente a Tikal. En todo caso, se ha estimado que el área de control de Tikal para esta época llegó a alcanzar los 2500 km².

Dos hijos de *Yaxkin Chaan K'awil* ocuparon el trono tras la muerte del progenitor. Inicialmente lo hizo el gobernante llamado "Sol Obscuro" (*ca.* 766 d. C.) como el 28° dirigente de Tikal, y poco después ascendía al trono su hermano *Chitam* (antes Señor C), quien es reconocido como el 29° soberano en el año 768 d. C. Tras ellos hay otra época de crisis en Tikal y la sucesión dinástica se torna otra vez confusa. Se cree que el llamado Gobernante de la Estela 24 fue quien mandó construir el Templo III en 810 d. C., mientras que el último dirigente del que se tiene noticia reinó alrededor del 869 d. C., y como no se conoce casi nada de su persona se le identifica como Gobernante de la Estela 11.

Luego del monarca esculpido en la Estela 11 no se menciona soberanos en esta ciudad. Tikal, al igual que los otros sitios mayas, entró en una etapa de declive cultural denominada "colapso Maya", que habrá ocurrido alrededor del año 900 d. C. Han sido propuestas diversas hipótesis para explicar dicho colapso pero es claro que la caída de una civilización no puede originarse por un solo motivo sino por la unión de diversos factores, entre los que sobresale el mal sistema de gobierno y los efectos derivados del mismo. Al fallar el gobierno central y las alianzas políticas surgieron guerras, luchas por tierra cultivable, escasez de alimentos, interrupción de las redes comerciales y otras manifestaciones negativas. La población del centro de Tikal desalojó el sitio poco después del 900 d. C., y pobladores provenientes de las zonas periféricas ocuparon los edificios que antiguamente sirvieron para albergar a la élite. Nada se sabe respecto al destino o paradero de la familia real de Tikal luego del colapso. Asimismo, la falta de un eje conductor, de mano de obra para trabajos, de tecnología apropiada y de la mística necesaria para hacer resurgir la ciudad, incidieron para que Tikal fuera completamente abandonada poco más tarde.

reflecting an architectural ensemble which had been reserved exclusively for Tikal. In any case, the estimated area under the control of Tikal reached 2500 km² during this period.

Two sons of *Yaxkin Chaan K'awil* occupied the throne upon the death of their progenitor. A sovereign by the name "Dark Sun" (*ca.* A. D. 766) was the first to ascend as the twenty-eighth ruler of Tikal, and shortly after his brother *Chitam* (formerly Ruler C) was recognized as the twenty-ninth ruler in the year A. D. 768.

After their reigns a new period of crisis plunged the dynastic succession in Tikal into a state of confusion. It is now believed that the Ruler of Stela 24 ordered the construction of Temple III in A. D. 810, while the last governor we know of reigned around the year A. D. 869. Since not much is known of this individual, he is simply identified as the Ruler of Stela 11.

After the monarch of Stela 11, no other ruler is mentioned in this city. Tikal, just as other Maya sites, entered a period of cultural decline known as the "Maya collapse", which took place around the year A. D. 900. Different hypotheses have been postulated to explain this decline, but the only thing that is clear is that no single factor can be blamed for the downfall of a whole civilization. Instead, a combination of factors, among them a poor system of government and the effects derived from this, caused the deterioration of the Maya Civilization. The collapse of the central political authority and the weakening of political alliances resulted in wars, struggles for productive lands, scarcity of provisions, interruption of the commercial routes and other negative manifestations. The population of the center of Tikal abandoned the site shortly after the year A. D. 900, and settlers from the periphery inhabited the buildings which the ruling elite had formerly occupied. Nothing is known about the fate or whereabouts of the royal family of Tikal after the collapse. Likewise, the lack of a central authority to hold the community together, of labor to carry out works, of proper technology and of a drive to revitalize the city prompted the complete abandonment of Tikal shortly thereafter.

Restos, huellas, el paso del tiempo. La gloria de Tikal y sus soberanos, carcomida por el tiempo
Debris, traces, the passage of time. The glory of Tikal and its rulers decayed by time

SECUENCIA DINASTICA DE TIKAL/DYNASTIC SEQUENCE OF TIKAL

¿? Gobernante/Ruler: *Yax Moch Xoc*
Importancia/Importance: Fundador del linaje dinástico de Tikal/
Founder of the dynastic lineage of Tikal
Fechas/Dates: ¿?

¿? Gobernante/Ruler: Jaguar Decorado/Decorated Jaguar
Gobernaba en/Date of reign: 292 d. C./A. D.
Monumentos/Monuments: Estelas/Stelae 29 y/and 31

¿? Gobernante/Ruler: Gran Garra de Jaguar I/Great Jaguar Paw I
Gobernaba en/Date of reign: 317 d. C./A. D.
Monumento/Monuments: Estela/Stela 31

¿? Gobernante/Ruler: Cero Pájaro/Zero Bird
Ascenso/Accession date: 320 d. C./A. D.
Monumento/Monuments: Placa de Leyden/Leiden Plate

9° Gobernante/Ruler: Gran Garra de Jaguar II/Great Jaguar Paw II
Gobernaba en/Date of reign: 376 d. C./A. D.
Monumentos/Monuments: Mencionado en Estelas/Cited in Stelae 39 y/and 31

10° Gobernante/Ruler: *Huh Chaan Mah K'ina* (Nariz Rizada/Curl Nose)
Ascenso al trono/Accession: 379 d. C./A. D.
Muerte/Death: 426 d. C./A. D.
Monumentos/Monuments: Estela/Stelae 4, 18 y/and 31

11° Gobernante/Ruler: *K'awil Chaan* (Cielo Tormentoso/Stormy Sky)
Ascenso al trono/Accession: 426 d. C./A. D.
Muerte/Death: 457 d. C./A. D.
Monumentos/Monuments: Estela/Stelae 31, 1¿?, 2¿?, 28¿?

12° Gobernante/Ruler: Jabalí Kan/Kan Boar
Gobernaba en/Date of reign: 475 d. C./A. D.
Monumentos/Monuments: Estela/Stelae 13, 9

13° Gobernante/Ruler: Desconocido/Unknown

14° Gobernante/Ruler: Calavera Gran Garra de Jaguar III
/Skull Great Jaguar Paw III
Gobernaba en/Date of reign: 488 d. C./A. D.
Monumentos/Monuments: Estela/Stelae 3, 15, 7, 27

15° Gobernante/Ruler: Desconocido/Unknown

16° Gobernante/Ruler: Desconocido/Unknown

17° Gobernante/Ruler: Desconocido/Unknown

18° Gobernante/Ruler: Desconocido/Unknown

19° Gobernante/Ruler: Cabeza con Rizo/Curl Head
Gobernaba en/Date of reign: 527 d. C./A. D.
Monumentos/Monuments: Estela/Stelae 10, 12

20° Gobernante/Ruler:	Calavera Gran Garra de Jaguar IV
	Skull Great Jaguar Paw IV
Gobernaba en/Date of reign:	537 d. C./A. D.
Monumento/Monument:	Estela/Stela 26
21° Gobernante/Ruler:	Doble Pájaro/Double Bird
Ascenso al trono/Accession:	537 d. C./A. D.
Muerte/Death:	562 d. C./A. D.
Monumento/Monument:	Estela/Stela 17
22° Gobernante/Ruler:	Calavera de Animal/Animal Skull
Gobernaba en/Date of reign:	593 d. C./A. D.
Monumento/Monument:	MT. 216, 217
23° Gobernante/Ruler:	Desconocido/Unknown
24° Gobernante/Ruler:	Desconocido/Unknown
25° Gobernante/Ruler:	Escudo Calavera/Shield Skull
Gobernaba en/Date of reign:	679 d. C./A. D.
Muerte/Death:	679 d. C./A. D.
Casado con/Married to:	Señora "Trono-Jaguar"/Lady Throne Jaguar
Monumentos/Monuments:	Nombrado en Dintel 3 del Templo I
	Cited in Dintel 3 of Temple I
26° Gob./Ruler:	*Ha Sawa Chaan K'awil* (Ah Cacaw, Sr./Ruler A)
Ascenso al trono/Accession:	682 d. C./A. D.
Muerte/Death:	733 d. C./A. D.
Casado con/Married to:	Señora "12 Guacamaya"/Lady 12 Macaw
Monum./Monuments:	Estela/Stelae 30, 16, Dintel 2 y/and 3, Templo I
27° Gobernante/Ruler:	*Yaxkin Chaan K'awil* (Señor B)/Ruler B
Ascenso al trono/Accession:	734 d. C./A. D.
Monumentos/Monuments:	Estela/Stelae 5, 20, 21, Templo/Temple 4
28° Gobernante/Ruler:	Sol Oscuro/Dark Sun
Gobernaba en/Date of reign:	766 d. C./A. D.
Monumento/Monument:	Templo VI/Temple VI
29° Gobernante/Ruler:	*Chitam* (Señor C)/Ruler C
Gobernaba en/Date of reign:	768 d. C./A. D.
Monumentos/Monuments:	Estela/Stelae 19, 22
¿? Gob./Ruler:	Gobernante de la Estela 24/Governor of Stela 24
Gobernaba en/Date of reign:	810 d. C./A. D.
Monumentos/Monuments:	Estela/Stela 24, Templo/Temple III
¿? Gobernante/Ruler:	Gobernante de la Estela 11/Governor of Stela 11
Gobernaba en/Date of reign:	869 d. C./A. D.
Monumento/Monument:	Estela 11/Stela 11

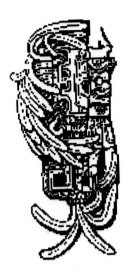

La Vida en Tikal: Obras y Manifestaciones

Organización Social

Investigaciones recientes muestran que la estructura social fue mucho más compleja de lo que se pensó anteriormente y que la sucesión dinástica se efectuó por la línea patrilineal. La sociedad era dirigida por dinastías encabezadas por un gobernante, quien ostentaba el título de *Halach winic* y al que en las inscripciones se le denomina *K'ul ahaw* ó *Chul ahaw*, que significa "Señor Sagrado". Este título era el de más alto nivel en la escala social y política y lo utilizaba el jefe gobernante de una entidad política autónoma que tenía bajo su mando y dentro de su territorio a otras ciudades de menor jerarquía.

A través de los textos se sabe que existieron relaciones jerárquicas entre los dirigentes de las ciudades, lo cual indica interacciones de personajes de rango superior y señores de menor rango. Esto muestra que el *K'ul ahaw* tenía bajo su jurisdicción a los *Ahaw*, que eran nobles, y que algunos de ellos llevaban bajo su cargo el control de centros subsidiarios.

Life in Tikal: Monuments and other Manifests

Social Organization

Recent investigations indicate that the social structure was much more complex than was formerly believed, and that dynastic succession was patrilineal. Society was commanded by dynasties headed by a ruler who bore the title *Halach uinic*, and who was designated *K'ul ahau* o *Chul ahau*, meaning "Sacred Lord", in monumental inscriptions.

This title was the highest ranking grade in the social and political scale, given to the ruler of an autonomous polity who had under his command and within his territory other cities of lesser hierarchy.

Through inscribed texts we now know that there were hierarchical relations among rulers of cities, which indicates interaction between high and lower ranking lords. This shows that the ahau, who were nobles, were under the jurisdiction of the *K'ul ahau*, and certain *K'ul ahau* were also in charge of subordinate centers.

El título de *Kahal* o *Cahal*, que significa "Señor" o "Noble", fue usado algunas veces al mismo nivel que el de *Ahaw*, aunque también se considera que pudo ser un título hereditario ostentado por los nobles que tenían derecho al gobierno de centros secundarios o subsidiarios. Otros títulos han sido identificados, incluyéndose el de *Ah nabe*, traducido como "Joven Príncipe" o "Príncipe" y aunque no son claras las atribuciones de estos personajes, siempre aparecen retratados en escenas cortesanas y rituales junto al gobernante.

En la Estela 31 de Tikal se observa claramente que Nariz Rizada y Cielo Tormentoso accedieron inicialmente al cargo de *Ahaw* antes de convertirse en *Chakte* de Tikal. Otros monumentos del Clásico Temprano, como el "Hombre de Tikal" y el llamado "Marcador de Tikal", también muestran personajes ascendiendo al título de *Ahaw* en determinados barrios de este sitio, lo que indica que el rango además de registrar una posición social también marcaba el ejercicio de un poder administrativo. Además, la identificación en textos escritos, en monumentos y en cerámica permiten similarmente conocer a otros miembros de la burocracia con cargos, tales como los *Itz'at* (artista), *Ah Tz'ib* (pintor o escriba) y *Pitzil* (jugador de pelota).

En el caso de los escribas, se sabe que estos pusieron su nombre después de la expresión *u tz'ib* (pintó). En lugares como Naranjo, Arroyo de Piedra, Yaxchilan y otros sitios se ha identificado los nombres de estos artistas.

The title *Kahal* or *Cahal*, which means "Lord" or "Noble", was sometimes used at the same level as *Ahau*, although it could have been an inherited title borne by the nobles who had the right to rule secondary or subordinate centers.

Other titles have been identified, including *Ah nabe*, translated as "Young Prince" or "Prince". Even though his functions are not clear, he is always portrayed in court and ritual scenes next to the ruler.

Stela 31 in Tikal clearly shows that Curl Nose and Stormy Sky acceded to the position of *Ahau* before becoming *Chakte* of Tikal. Other monuments of the Early Classic Period, such as the "Man from Tikal" and the "Tikal Marker" also depict individuals acceding to the title *Ahau* in certain enclaves of the site.

This demonstrates that the rank, besides indicating a social position, also marked the discharge of an administrative power. Moreover, identification in written texts, in monuments and in pottery allow us to recognize other members of the burocracy, such as *Itz'at* (artist), *Ah Tz'ib* (painter or scribe) and *Pitzil* (ball player).

In the case of the scribes, it is known that they placed their name after the expression u *tz'ib* (he painted).

In places such as Copán, Naranjo, Arroyo de Piedra, Yaxchilan and others, the names of these artists have been identified.

Por estar en el nivel inferior el campesino formó la base de la sociedad, llevando la responsabilidad de las tareas productivas y el mantenimiento de la clase dirigente. Asimismo, de ellos se obtuvo la mano de obra necesaria para transportar los materiales básicos en la construcción de los grandes edificios públicos y religiosos de los centros ceremoniales. Un estrato medio entre la clase elitista y los campesinos fue formado por los artistas, artesanos y servidores de la administración, quienes por la especialización de sus respectivas ocupaciones recibieron un trato preferencial.

Las evidencias epigráficas y arqueológicas indican intensa relación entre ciudades a través de matrimonios reales, alianzas militares y ligas económicas. Sin embargo, aún existen grandes limitaciones de conocimiento que son difíciles de aprehender con exactitud, ya que los escribas Mayas no registraron en los monumentos información concerniente a la estructura de la familia, relaciones entre gobernantes y súbditos, extensión territorial de las entidades políticas, población dominada, cosechas y productos agrícolas, materiales almacenados en bodega, sistemas de intercambio regional y otros. Es posible que en el pasado hayan existido códices conteniendo esta información, pero también que con el paso del tiempo y la humedad característica de las Tierras Bajas se hayan destruido.

La complejidad sociopolítica alcanzada por Tikal se observa claramente, además, por ser el primer lugar en esculpir su propio "Glifo Emblema". Su supremacía se manifestó con el uso de este glifo que identificaba a la ciudad y a la dinastía gobernante, demostrando que la familia real de Tikal se encontraba sólidamente establecida desde la parte media del Clásico Temprano, mientras que en otros sitios el aparecimiento del glifo emblema fue más tardío.

Glifo emblema de Tikal
Tikal's Emblem Glyph

Because they belonged to the lower echelons of society, the farmers constituted the basis of society, bearing the responsibility for the productive works and the upkeep of the ruling class. Likewise, they provided the labor needed to transport basic construction materials for public and religious buildings of the ceremonial centers.

The artists, artisans and public administration workers, who received preferential treatment due to the specialization of their respective occupations, constituted the middle echelon between the elite and the farmers.

Epigraphic and archaeological evidence indicates intense interaction among cities through royal weddings, military alliances and economic bonds. There is a vast amount of information, however, which is difficult to grasp, since the Maya scribes did not register information concerning family structure, relations between rulers and subjects, territorial extension of polities, population, harvests and agricultural products, goods stored in warehouses, systems of regional interchange and others. This type of information could have been recorded in codexes, which could have been destroyed either by the passage of time or by the humidity characteristic of the Lowlands.

The sociopolitical complexity achieved by Tikal is clearly observed by the fact that it was the first site to inscribe its own "Emblem-Glyph".

Its supremacy is evidenced by the use of this glyph which identified the city and the ruling dynasty, indicating that the royal family of Tikal was solidly established in the mid Early Classic Period, while in other sites the appearance of the emblem glyph was later.

*Interior de un cuarto abovedado
con pasadores de chico-zapote*

*Interior of a vaulted room with
"chico-zapote" wooden beams*

Arquitectura y Obras
de los Gobernantes

U n hallazgo espectacular significó el descubrimiento de una maqueta en piedra descubierta en Tikal y actualmente exhibida en el Museo Nacional de Arqueología. En ella se observa un conjunto de basamentos piramidales con forma rectangular, un edificio semicircular, un juego de pelota, escalinatas de acceso a la plaza, etc., todos esculpidos en pequeña escala sobre un bloque de caliza. El encuentro de esta pieza es de vital importancia porque pone en evidencia que los Mayas también utilizaron maquetas antes de iniciar la construcción de nuevas plazas y conjuntos arquitectónicos.

Otra muestra de planificación ha sido revelada también en las excavaciones, y se trata de líneas incisas en el piso de estuco, hechas por los arquitectos Mayas obviamente para orientar a los albañiles donde debían colocar las piedras que servirían de base a los muros. Ejemplos de este sistema fueron detectados en varios lugares, incluyendo el lado Sur de la Gran Pirámide. Tanto las maquetas como las incisiones en el piso enseñan que los conjuntos urbanísticos fueron planificados con anticipación y concebidos bajo lineamientos específicos de la

Architecture and Monuments
of the Rulers

T he discovery of a stone maquette in Tikal, presently in display in the National Museum of Archaeology, was a spectacular finding. It depicts an ensemble of pyramidal terraces, rectangular in shape, a semicircular building, a ball game, stairways which gave access to the plaza, etc., all engraved at a reduced scale on a block of limestone.

The discovery of this piece is of critical importance, as it bears witness to the fact that the Maya also used maquettes as a first step in the construction of new plazas and architectural complexes.

Another evidence of planning has also been detected in the excavations: construction lines marked in the stucco floor by Maya architects to orient the masons as to where they should place the stones which would serve as foundation for the walls.

Examples of this system were detected in several places, including the South side of the Great Pyramid. The maquettes as well as the incisions on the floor reveal that the urban complexes were planned beforehand and envisaged in accordance to specific guidelines of the ruling elite.

élite gobernante, por lo que es casi seguro que las maquetas debieron ser previamente presentadas y autorizadas para poder llevar a cabo las obras.

La presencia de pequeñas lomas fue aprovechada en todo momento para edificar nuevos conjuntos, reservando las depresiones de terreno para la construcción y acondicionamiento de "aguadas" o reservaciones de agua, a manera de pequeñas lagunas. Desde el inicio los habitantes de Tikal prefirieron asentarse en lugares altos, aprovechando el desnivel natural del suelo para que sus viviendas no fueran inundadas por las aguas de lluvias. Posteriormente, al edificar plazas con pisos estucados dieron a estos un desnivel adecuado para que las aguas pluviales no se acumularan en las plazas sino que drenaran fácilmente hacia los barrancos. Así, formaron reservas especiales de agua, que llegaba por medio de sistemas de canales especialmente construidos y por el declive de los pisos de plaza. Gracias a este sistema se evitaba inundaciones en las plazas y al mismo tiempo se conservaba el agua para las temporadas de verano.

Los constructores de la ciudad aprovecharon los materiales que el medio ambiente les proporcionaba, en especial la roca caliza y la madera de chico zapote.

El chico zapote y el árbol de tinto fueron los favoritos para forjar los dinteles que se encuentran en los templos y las vigas que distribuyen las pesadas cargas estructurales de los techos abovedados.

Durante el Preclásico se observa dos tipos arquitectónicos definidos: el Complejo de Conmemoración Astronómica más antiguo que se conoce en el área maya surgió en Mundo Perdido y se dan los Grupos Triádicos compuestos por tres edificios —que más tarde se convirtieron en acrópolis, como es el caso de Acrópolis Norte. Como puede comprenderse, ambos conjuntos tuvieron impli-

It is therefore almost certain that the maquettes must have been submitted and approved before the works were begun.

Small hills were taken advantage of to build new structures, while the depressions were reserved for the construction of water reservoirs. From the onset the inhabitants of Tikal chose to settle on elevated places to take advantage of the natural unevenness of the ground so that their dwellings would not be flooded by rainwater. Subsequently, when they built plazas with stucco floors, they did so with an adequate drop so that the rainwater would not accumulate in the plazas but would drain easily towards the gullies.

Thus, they formed special reservoirs, which collected water by means of a system of specially built canals and by the slope of the floors of the plaza. Thanks to this system the plazas were not flooded during the rainy season and at the same time water was stored for the dry season.

The builders of the city took advantage of the materials supplied by the surroundings, particularly limestone and the wood from the sapodilla tree.

The sapodilla and the dye tree were the favorites to forge the lintels of the temples and the beams which bear the heavy structural burden of the vaulted roofs.

During the Preclassic Period two architectural types are observed: the Astronomical Commemoration Complex, the most ancient type in the Maya world, and the Triad Group, comprised of three buildings —which subsequently became the acropolis, as is the case with the North Acropolis. Understandably, both complexes had different implications, the first related to the marking of

Edificio con talud-tablero
Building with "talud-tablero"

caciones diferentes, el primero relacionado con el control del tiempo y el otro ligado con actividades religiosas y administrativas.

Desde el Preclásico Temprano se empleó grandes tableros en la fachada de la gran Pirámide de Mundo Perdido, y al iniciarse el Clásico Temprano (250-300 d. C.) se dio por primera vez en Tikal el modo arquitectónico conocido como talud-tablero, en la estructura 5C-49 también de Mundo Perdido. Este tipo de arquitectura está formado por un muro inclinado en la base, que sostiene una sección interior compuesta por un tablero que, a vez, está rodeado por un marco delgado. Se sabe que el origen del talud-tablero fue en Tlalancaleca, Tlaxcala, pero la gran urbe de Teotihuacan, en el Altiplano de México, lo aceptó como un estilo propio al emplearlo en casi todos sus edificios. En Teotihuacan se principió a utilizar el talud-tablero alrededor del año 100 d., C., mientras que en Tikal lo fue entre el 200 y 300 d. C., lo cual es importante pues demuestra la existencia de relaciones tempranas entre Tikal y sitios del Altiplano de México. Varias construcciones del Grupo 6C-XVI (Grupo de los Mascarones) aplicaron el talud-

time and the latter to religious and administrative activities.

From the beginning of the Early Preclassic Period great slabs of stone were used in the façades of the Great Pyramid of the Lost World. At the start of the Early Classic (A. D. 250-300), the architectural style known as *talud-tablero* was introduced in Tikal, in structure 5C-49 of the Lost World Complex.

This type of architecture is formed by a slab which is surrounded by a thin frame. We now know that the *talud-tablero* style originated in Tlalancaleca, Tlaxcala, but it was Teotihuacan, the prominent site in the Mexican highlands, who retained it as its particular style and used it in almost every building.

In Teotihuacan it was first used around the year A. D. 100, while in Tikal it occurred between the years A. D. 200 and A. D. 300, an important consideration since it demonstrates the existence of an early interaction between Tikal and sites of the Mexican highlands. Several structures belonging to Group 6C-XVI (Group of the Masks) applied the *talud-tablero* style during the Early

*Templo 38. Singular ejemplar
con uso de piedra escalonada*

*Temple 38. Unique example of
the use of stepped masonry*

tablero durante el Clásico Temprano, mientras que los últimos edificios en lucirlo lo hicieron al inicio del Clásico Tardío, en el altar central de Mundo Perdido (5C-53) y el mal llamado templo Teotihuacano localizado en la Plaza Central Este, detrás del Templo I.

Los contactos entre Tikal y Teotihuacan se expresan también por la presencia de obsidiana verde del centro de México en Tikal y por la de cerámica Maya en Teotihuacan. Empero, una de las características primordiales fue la construcción de un Complejo de Conmemoración Astronómica en el conjunto conocido como la Ciudadela, en el centro de Teotihuacan. Esto es de vital trascendencia pues indica que un concepto arquitectónico típicamente Maya, relacionado con implicaciones ideológicas y control de tiempo, fue establecido en el corazón de la ciudad de Teotihuacan. Por lo tanto, los elementos anteriores demuestran las fuertes relaciones culturales entre ambas zonas, que se remontan al final del Preclásico Tardío o inicios del Clásico Temprano.

Las construcciones de Tikal muestran diversos tipos de bóvedas, pero un

Classic Period, while the last buildings to exhibit this style were those in the Late Classic, in the central altar of the Lost World Complex (5C-53) and the so called Teotihuacan temple located in the Eastern Central Plaza, behind Temple I.

The contacts between Tikal and Teotihuacan are also expressed in the presence of green obsidian from the center of Mexico in Tikal, and by Maya ceramics in Teotihuacan.

One of the main features, however, was the construction of a Astronomical Commemoration Complex in the compound designated as the Citadel, in the center of Teotihuacan.

This points to the fact that an architectural concept typically Maya, related to ideological implications and the marking of time, was established in the heart of the city of Teotihuacan. These elements thus indicate the strong cultural ties between both zones, which date back to the end of the Late Preclassic or beginning of the Early Classic.

The constructions at Tikal exhibit several types of vaults, but a particular

*Templo 33. Detalle arquitectónico
de juego de molduras y faldón liso*

*Temple 33. Architectural detail of the use
of moldings and straight aprons*

caso particular se encuentra en el Templo 38, donde se empleó una bóveda escalonada que semeja escalones al revés, lo que parece haber sido copiado de Uaxactún. En este sitio hay también una bóveda escalonada en el Templo E-X, Plaza Norte del Grupo E, que hasta el momento es el ejemplar más antiguo que se conoce en la presentación de ese diseño arquitectónico, estando fechado para una época que se remonta a los años 250-300 d. C. Es conveniente referir que esta creación no es común en la arquitectura Maya, ya que aparte de los casos únicos existentes en Uaxactún y Tikal sólo se conoce otro ejemplar en Nakum, varios más en Copán (Honduras) y recientemente en Oxkintok, al noroeste de la Península de Yucatán.

En Tikal alcanzó gran popularidad el empleo de cuerpos volumétricos con esquinas entrantes y salientes, que presentan en la base de los edificios un juego de banqueta, entrecalle y molduras a diferente altura del piso de plaza, con lo cual los arquitectos lograron eliminar lo monótono e inerte de las líneas rectas, obteniendo movimiento y ritmo en las construcciones. Detalles arquitectónicos especiales se popularizaron cada vez más, como el uso del faldón en la parte trasera de los edificios, que sirvió para

case is found in Temple 38, where a stepped vault similar to upside-down stairs was used, apparently copied from Uaxactún.

This site also houses a stepped vault in Temple E-X, in the North Plaza of Group E, presently the most ancient example of this architectural design, dating back to the years A. D. 250-300.

It should be pointed out that this innovation is uncommon in Maya architecture: besides the examples in Uaxactún and Tikal, there is only one other example in Nakum, several in Copán (Honduras) and one recently discovered in Oxkintok, to the northeast of the Yucatan Peninsula.

The use of massive structures with inset and outset corners became very popular in Tikal. The foundations of the buildings exhibit an slopping panel with an inset molding at the base. Hence, architects were able to eliminate the monotony of straight lines, attaining movement and rhythm in their constructions.

Special architectural details became more and more fashionable, such as the use of apron moldings in the back side of the buildings, which served to relieve

cortar la presencia de molduras a lo largo de todo el edificio. Asimismo, en las paredes exteriores de los templos se observa una especie de "ventana falsa", que es un espacio hundido de forma rectangular en la pared del edificio. Todos los ejemplares de este tipo encontrados en Tikal son lisos y sin decoración, pero un descubrimiento reciente debajo del Templo 16 de Copán reveló figuras modeladas en estuco en el interior de esta "ventana falsa", por lo que es posible pensar que en Tikal también hayan tenido figuras estucadas que con el paso del tiempo se destruyeron por completo.

the abruptness of the building. Likewise, the exterior wall of the temples exhibit a kind of "false window", which is nothing more than a deep-set rectangular-shaped space in the wall of the building. All the examples of this type found in Tikal are plain and with no decoration, but a recent discovery under Temple 16 in Copán revealed figures modeled in stucco in the interior of this "false window". This leads one to think that Tikal could also have had figures modeled in stucco which were unfortunately destroyed with the passage of time.

Ventanas falsas del Templo 34, Acrópolis Norte

False windows of Temple 34, North Acropolis

El estudio efectuado en Tikal demostró una frecuencia elevada de plazas con diseños similares, lo cual permite agruparlas por categorías. Dentro de ellas sobresalen los conjuntos que cuentan con un templo al Este, por tener implicaciones religiosas y un elevado valor simbólico para los pobladores locales. La popularidad de estos grupos es bien co-

Archaeological research carried out in Tikal showed a high frequency of plazas with similar designs, which permits their grouping by category.

The ensembles with a temple facing East stand out, as they have religious implications and a symbolic value for local inhabitants. The popularity of these groups is well known in the Maya

Ejemplo del gran avance arquitectónico de Tikal. Palacio 5D-52
An example of the great architectural advance of Tikal. Palace 5D-52

nocida en el área Maya desde el Preclásico Tardío, pero se popularizó especialmente en el Clásico Tardío, tanto en Tikal como en otros lugares.

Fuera del centro ceremonial donde se ubican las construcciones monumentales se ha comprobado que durante el Clásico Tardío se dio una elevada edificación de conjuntos residenciales para personas de diferente estrato social, lo que trajo al mismo tiempo, como consecuencia, una disminución en la distancia que separaba los conjuntos habitacionales y por lo tanto se redujo también la extensión de los huertos familiares. El surgimiento de nuevos complejos arquitectónicos es un reflejo de la organización interna y del aumento poblacional de Tikal durante el Clásico Tardío, mostrando con eso una época de estabilidad política y económica que se iniciara básicamente con la ascensión al trono del gobernante *Ha Sawa Chaan K'awil* y continuada por los gobiernos de sus descendientes, entre 734 y 810 d. C.

Durante el Clásico Tardío los soberanos de Tikal lograron centralizar las actividades más importantes, especial-

World since the Late Preclassic Period, but it became particularly popular in the Late Classic, in Tikal as well as in other sites.

It has been proven that during the Late Classic there was an increase in the construction rate of residential compounds for persons of different social levels outside the ceremonial center where the monumental buildings are located. The distance which separated the residential compounds was thus reduced, as well as the size of the family vegetable gardens.

The rise of new architectural compounds is a reflection of the internal organization and the increase in population in Tikal during the Late Classic, evidencing a period of political and economic stability which began with the accession to the throne of *Ha Sawa Chaan K'awil* and continued by his descendants, between the years A. D. 734 and A. D. 810.

During the Late Classic, the rulers of Tikal managed to consolidate the most important activities, particularly those

mente las de tipo administrativo y religioso. Estas tareas se ejecutaron en el epicentro del sitio, pero ello mismo conllevó a un aislamiento de la clase dirigente al clausurar sus plazas con palacios y templos en todas las direcciones. La construcción de los Templos I y II, el juego de pelota y los edificios de Acrópolis del Centro hicieron que la Gran Plaza se convirtiera en un espacio prácticamente cerrado, con accesos reducidos y fuertemente controlados por los guardias militares. Nadie podía entrar fácilmente a este recinto sagrado, igual que ocurría en Mundo Perdido, Siete Templos y otros.

Para compensar el cierre de los espacios públicos *Ha Sawa Chaan K'awil* y sus sucesores idearon la erección de nuevos lugares de culto, como el caso de los conjuntos de Pirámides Gemelas, reservando así la Gran Plaza exclusivamente para la élite, aunque el público pudo tener acceso a ella durante la conmemoración de eventos específicos, como la entronización de un soberano ascendente o los rituales mortuorios de sus dirigentes. Esto obligó a una descentralización de la religión hacia diversos sectores, incluyendo el aumento de culto a las deidades populares en los conjuntos con templo al Este, construidos por toda la ciudad. Posiblemente con ello se daba una novedosa orientación a la religión, permitiendo que las personas de menor jerarquía y los campesinos dedicaran sus ritos no sólo a las grandes y complejas divinidades instituidas por el gobierno central, sino que adoraran también a los dioses de la vida diaria,

related to administrative and religious endeavours. These activities were performed in the epicenter of the site, and resulted in the segregation of the ruling class as they closed their plazas with palaces and temples in all directions. The construction of Temples I and II, the ball court and the structures of the Central Acropolis transformed the Great Plaza into a practically closed space, with limited access heavily controlled by military guards. Nobody had easy access to this sacred abode, as was also the case with the Lost World Complex, the complex of the Seven Temples and others.

To compensate for the closing of these public spaces, *Ha Sawa Chaan K'awil* and his successors came up with new places to render cult to the ancestors, as was the case of the Twin Pyramid complexes. The Great Plaza was thus reserved for exclusive use of the elite, although the public gained access to it during the celebration of specific events, such as the enthronement of a new ruler or the funerary rituals of its leaders.

The outcome was a descentralization of religion towards different sectors, including an increase in the cult for popular deities in the compounds with temples to the East, constructed in different sections of the city. This probably gave way to a fresh orientation in religion; it allowed individuals of lower status to dedicate their rituals not only to the great and complex divinities instituted by the central government, but to adore everyday gods, such as the

como el Dios del Maíz o de la Lluvia, que estaban más cercanos a sus problemas cotidianos de siembra y recolección de cultivos.

Esto puede apoyarse en la popularidad y difusión que alcanzó la construcción de conjuntos con templo al Este, como centros subsidiarios de culto religioso y rituales de tipo familiar. El tamaño de esos grupos fue variable, mientras que la importancia del edificio al Este fue fundamental para la realización de ceremonias y la colocación de entierros en este edificio ritual orientado hacia el Oeste, lugar de la puesta del sol, del ingreso al inframundo y de la continuación de la vida hacia el otro mundo. En esta estructura fueron sepultados los sacerdotes encargados del culto local y quizás también los jefes de familia que vivieran en dicho grupo.

Asimismo, se observa que para el Clásico Tardío se puso de moda la construcción de un bloque central en la parte frontal del basamento, a manera de *podium*, flanqueado por dos escalinatas que ascienden a la parte superior del templo y desde donde podía dirigirse discursos públicos. Ejemplares de este tipo se observan en el Templo II, edificios del lado Este de Mundo Perdido y aun pequeños ejemplares en conjuntos periféricos como en el Grupo 6C-XV localizado junto al Grupo de los Mascarones. Los templos tienen una o varias puertas de ingreso, cuentan con una a tres cámaras longitudinales y fueron edificados con paredes de piedra y techo abovedado.

Corn God or the Rain God, who were much closer to their daily problems related to the harvest of their crops.

This hypothesis is supported by the popularity of compounds with temples facing East, which served as subsidiary centers for religious worship and family rituals. The groups varied in size, but the building to the East was vital in carrying out ceremonies and burials in the building facing West, where the sun sets, where the underworld is accessed and where life continues in the other world. The priests in charge of local worship and probably the heads of household who lived in these compounds were buried here.

During the Late Classic it became fashionable to build a central block in the frontal part of the terrace, resembling a *podium*, flanked by two stairways which gave access to the upper part of the temple, from where public speeches were delivered.

Examples of this type are observed in Temple II, structures on the East side of the Lost World complex and peripheral compounds such as Group 6C-XV, located next to the Group of the Masks. The temples have one or more doorways; they display one to three longitudinal chambers and were built with stone walls and vaulted roofs.

Artes   Arts

Los Mayas fueron artistas por naturaleza, aunque en algunas ciudades se observa mayores logros que en otras. Por ejemplo el trabajo de estuco de Palenque es impresionante, el esculpido de las estelas de Copán es inigualable y los dinteles tallados en madera en Tikal son únicos.

El arte fue utilizado como un instrumento por los gobernantes de Tikal, como medio para hacer sobresalir su imagen. La arquitectura y escultura se fundieron en un solo conjunto como parte de un escenario que servía para que los actores principales (los mandatarios) realizaran sus ceremoniales con elementos convincentes a los ojos del pueblo. Todo fue preparado como parte del aparato dirigente a partir del Preclásico Tardío y continuó incrementándose con la sofisticación lograda con el paso de los siglos. Los mascarones modelados en estuco en las fachadas de los edificios principales de Acrópolis del Norte muestran mensajes ideológicos hacia la población, ya sea de tipo religioso como de orden político. Esto mismo se aplicó durante el Clásico Tardío en las cresterías que coronan los grandes templos de Tikal,

The Maya were natural artists, although some cities exhibit greater expertise than others. For example, the work done in stucco in Palenque is impressive, the inscription of the stelae in Copán is inimitable, and the lintels carved in wood in Tikal are unique.

Art was used by the rulers of Tikal as a means of emphasizing their image. Architecture and sculpture merged into one to serve as a scenario for the main actors (the rulers) to act out their ceremonies convincingly before the eyes of the pubic.

Ever since the Late Preclassic, everything was prepared as part of the ruling apparatus and continued to escalate in sophistication. The masks modeled in stucco on the façades of the main buildings of the North Acropolis depict ideological messages, both religious and political in nature, addressed to the population.

The same applied to the Late Classic in the roofcrests which crown the magnificent temples of Tikal, exhibiting

Vasija en forma de copa, con decoración incisa
Cup-shaped vessel with incised decorations

mostrando imágenes de los soberanos, acompañados de deidades protectoras.

A partir del 292 d. C., los gobernantes se hicieron representar por medio del bajo relieve en las estelas, al inicio en posición de perfil y luego de frente. El complejo estela-altar se popularizó a desde el Clásico Temprano, con imágenes de reyes y prisioneros y haciendo mención de su linaje, fecha de ascenso al trono, conquistas y nombres de sus padres. Las estelas, así, se convirtieron en instrumento favorito para explicar la "historia oficial" de los gobernantes y algunos otros nobles de Tikal.

La cerámica también fue utilizada para pintar escenas cortesanas, donde los nobles aparecen sentados sobre tronos y pieles de jaguar, conversando con miembros de su séquito. En el Clásico Tardío se incluyó jeroglíficos en las vasijas pintadas y en algunas oportunidades se escribió el nombre de los personajes allí representados. Se sabe que para realizar sus obras los pintores emplearon tinteros y pinceles, colocando sus pinturas en recipientes de caracoles cortados longitudinalmente.

En el Entierro 116 de Tikal se descubrió un plato que simula un caracol cortado, que lleva en el fondo el glifo *Ch'oy*, que significa "tintero", indicativo

images of rulers accompanied by their protective deities.

Beginning in A. D. 292, the rulers represented themselves in low relief stelae, initially in profile and later head on.

The complex stela-altar became popular in the Early Classic, depicting images of kings and prisoners and citing their lineage, date of accession to the throne, conquests and names of their parents. The stelae, therefore, became the favorite instrument of rulers and nobles to explain the "official history" of Tikal.

Ceramics were also used to paint courtly scenes, where the nobles appear comfortably seated on thrones with jaguar pelts, addressing members of their entourage.

During the Late Classic hieroglyphs were written on the painted bowls, and in certain instances the names of the characters represented were also included.

The painters used inkpots and paintbrushes, placing the paints in shell containers cut longitudinally. In Burial 116 in Tikal, a plate was discovered which simulates a cut shell, bearing the glyph *Ch'oy*, meaning inkwell, indicative that this container was used to paint

Plato con el glifo Ch'oy *(tintero) utilizado por los escribas para sus pinturas*

Plate with the Ch'oy *glyph (inkwell) used by scribes for their paints*

de que este recipiente era para poner pinturas. En las recientes excavaciones del Proyecto Petexbatun, en Tamarindito y Aguateca, se encontró conchas seccionadas que tuvieron la misma aplicación, y en la fachada de un edificio del barrio "Las Sepulturas" de Copán se halló un escriba que lleva un objeto similar en la mano, por lo que ahora estamos seguros de que los escribas y pintores fueron un grupo organizado que contaba con materiales, instrumentos y recipientes especiales para realizar su labor.

En Tikal el arte no tuvo fronteras, y los artistas se dedicaron a modelar figurillas en cerámica, realizar trabajos en jade, pectorales y brazaletes con piezas de mosaicos, huesos esculpidos con personajes humanos o jeroglíficos, labores en concha, tocados de plumas multicolores y otros. Mención especial merecen los grafitos de las paredes de los cuartos de templos y palacios, pues no provienen de artistas.

Tales grafitos representan motivos muy variados, como figuras humanas, jaguares, culebras, templos, seres fantásticos y cualquier imagen que pudiera concebir quien lo realizaba. Aunque algunas veces lograron creaciones extraordinarias, en otras el resultado pareciera provenir de la mano de un niño.

or write. During the recent excavations of the Petexbatun Project in Tamarindito and Aguateca, cut shells were also found which served the same purpose, and a scribe bearing a similar object in his hands was found in the façade of *Las Sepulturas* in Copán.

We are now confident that both scribes and painters formed an organized group which had their own special materials, instruments and vessels to carry out their job.

Art knew no boundaries in Tikal, and thus the artists dedicated themselves to modeling figures in ceramic, jade, pectorals and bracelets with mosaic pieces, bones engraved with human characters or hieroglyphs, shell, headdresses with multicolored feathers and other types of crafts.

The graffiti found on the walls of the chambers of palaces and temples are worth alluding to, since they were not the work of artists. These images represent a variety of motifs, such as human figures, jaguars, snakes, temples, imaginary beings and other images conceived by the "artist". Although they came up with some extraordinary creations, in other instances the workmanship seems to have been done by a child.

Dios del Maíz
Maize God

Religión   Religion

Aspectos de primordial importancia para el mundo de los Mayas fueron el tiempo y el espacio. Desde los primeros registros del tiempo, los ciclos del maíz, de las estaciones y de la vida humana moldearon la visión del mundo que compartían gobernantes y campesinos, incluyendo hombres, mujeres y niños. Esto se relacionó con la creación de mitos y creencias religiosas, ligados con los astros del universo y con animales de gran poderío —como el sol y el jaguar— que se convirtieron en deidades sobrenaturales. Evidencias de ello pueden ser observadas a través de la escultura y la pintura desde época Preclásica. Por medio de estas expresiones se plasmaron las creencias religiosas y de veneración hacia las deidades principales.

Desde el Preclásico los Mayas concebían el cosmos como una estructura dividida en tres niveles superpuestos: la parte superior estaba ocupada por el cielo o supramundo —que era el escenario de la mayoría de fenómenos astronómicos y en especial del recorrido del sol, la luna y Venus. El nivel medio era representado por *Witz* o la "Montaña Sagrada", donde se originaba la subsistencia, nacía el maíz como alimento ben-

Time and space were particularly important to the Maya. The maize cycle, the cycles of the seasons and the cycles of human life all shaped the vision of the world shared by rulers and commoners, including men, women and children.

This was related to the creation of myths and religious beliefs, linked with heavenly bodies and with animals of great vigor —such as the sun and the jaguar— who were then transformed into supernatural deities. This is evidenced in the sculpture and paintings dating back to the Preclassic Period. Religious beliefs and reverence towards main deities were consolidated through these expressions of art.

Since the Preclassic Period the Maya conceived the cosmos as a structure divided into three superimposed levels: the upper level was occupied by the sky or upperworld —the scenario for the majority of astronomical phenomena and particularly the course of the sun, the moon and Venus. The middle level was represented by *Witz* or the "Sacred Mountain", source of sustenance, where maize was cultivated as sacred nourish-

dito y donde vivían los seres humanos, mientras que el nivel inferior era el inframundo, relacionado generalmente con un medio acuático. Este concepto fue generalizado en las poblaciones desde el Preclásico Tardío y quedó plasmado en los fastuosos mascarones modelados en estuco, descubiertos en 1985 en el Grupo H de Uaxactún, en donde el empleo de colores rojo, negro y blanco hizo sobresalir los rasgos más espectaculares. La ceiba fue el árbol sagrado, con justificada razón. Su magnificente altura hizo suponer a los Mayas que sus ramas servían para sostener los cielos, mientras que sus profundas raíces eran el medio de comunicación entre el mundo de los vivos y el inframundo. La ceiba, por lo tanto, era vital pues servía como vaso comunicante entre los tres niveles del universo.

Algunos conceptos religiosos expresados en la cultura Maya fueron la Serpiente de doble cabeza, Dios Jaguar, Dios Bufón, Ave Celestial y la simbiosis cueva-inframundo, nociones encontradas también desde tiempos remotos en otras civilizaciones mesoamericanas.

ment and where human beings lived. The lower level was the Underworld, related generally to the aquatic world. This concept was generalized among Late Preclassic populations, and was reflected in the magnificent masks modeled in stucco, discovered in 1985 in Group H of Uaxactún, where the employment of the colors red, black and white highlighted their most spectacular features. The ceiba was the sacred tree of the Maya, and justifiably so. Its towering height led the Maya to believe that its branches supported the heavens, while its deep roots were the means of communication between the world of the living and the Underworld. The ceiba served as a communication link between the three levels of the universe, and as such, was a vital component of the cosmos.

Some of the religious concepts expressed in the Maya tradition were the Double-headed Serpent, the Jaguar God, the Jester God, Celestial Bird and the cavern-underworld symbiosis, concepts which are also found in other Mesoamerican civilizations since remote times.

Cabeza en boca de serpiente
Head in a serpent mouth

Página siguiente:
Hoy o mil años atrás, los mismos rostros
de la esperanza de los Mayas

Next page:
Today or one thousand years ago,
the same wishfull faces of the Maya

Otro componente en que puede observarse evidencias de tipo religioso es en los entierros. Los Mayas guardaron siempre un respeto especial por los muertos y colocaron ofrendas funerarias que consideraban servirían al difunto durante su otra vida. En los entierros se nota una marcada preferencia por colocar el cuerpo en posición extendida, con el cráneo orientado hacia el Norte. Dependiendo de su condición social, las personas fueron sepultadas con ofrendas compuestas por cerámica polícroma, objetos de parafernalia, así como jade, obsidiana y concha, llegados algunas veces desde tierras lejanas por medio del comercio.

Es importante resaltar que en Tikal, Uaxactún, Río Azul, Dos Pilas, Copán y otros centros Mayas los templos semejaban las "montañas sagradas", por lo que las tumbas de sus soberanos fueron guardadas en su interior, para que actuaran en la otra vida como intermediarios entre las fuerzas generadoras de la naturaleza y su pueblo. Se consideró que las cuevas eran el conducto de comunicación que permitía llegar hasta el inframundo y por ellas se iniciaba el viaje de los muertos, cuyos cuerpos eran generalmente colocados entro de cavidades hechas en la roca caliza. Si eran gente del pueblo las obras eran sencillas, pero si se trataba de un gobernante se realizaba grandes excavaciones en la roca para dar lugar a la construcción de una tumba real, donde se depositaba al soberano acompañado de sus respectivas ofrendas. Su ubicación en el interior de la roca caliza simboliza el inicio del viaje hacia el otro mundo, marcando con ello de manera simbólica la entrada a través de una caverna pétrea que les conduciría por los nueve niveles del inframundo hasta llegar a su destino final.

Religious elements can also be observed in the burials. The Maya always showed a special respect for the dead and placed funerary offerings which they considered useful for the dead in his after life. The burials indicate a marked preference to place the body in an extended position, head to the North.

Depending on his social status, the body was buried with offerings comprised of polychrome ceramic and paraphernalia made of jade, obsidian and shells, sometimes imported from faraway lands.

It should be noted that in Tikal, Uaxactún, Río Azul, Dos Pilas and other Maya sites, the temples resembled "sacred mountains", and the tombs of rulers were therefore placed in their interior, as they were to serve as mediators between the forces of Nature and their people in their next life.

The caves were considered the means of communication with the underworld. The bodies of the dead were placed in the cavities of the limestone, where they began their final trip to the underworld. If the deceased was a commoner, his burial was simple. If he had been a ruler, great excavations were done in the rock to construct a royal tomb, where the ruler was deposited along with his offerings.

This location inside the limestone bedrock symbolized the beginning of the trip to the other world, symbolically indicating his entrance through a rock cavern which would lead him through the nine levels of the underworld to his final destiny.

La arquitectura y la construcción dieron impulso trascendente a la economía de los Mayas
Both architecture and construction gave impetus to the Maya economy

Economía

La economía Maya estuvo principalmente basada en la agricultura y el comercio, aunque también fueron importantes la caza de animales y la recolección de productos. Se considera que las ligas sociopolíticas fueron un factor determinante para el incremento de las relaciones entre diferentes entidades políticas, logrando con eso mantener las vías comerciales e intercambio de bienes primarios y suntuarios provenientes de diversos lugares. Las alianzas políticas concertadas por medio de matrimonios reales fueron un medio para asegurar el mantenimiento de la paz y por ende el buen funcionamiento de las rutas comerciales y el flujo de productos de un lugar a otro. Es indudable que el comercio fue una actividad de gran relevancia y las investigaciones arqueológicas han demostrado que desde fechas muy tempranas se dio la circulación de bienes de prestigio y materias primas entre Tikal y sitios de otras regiones.

Productos como sal, conchas, caracoles marinos, espinas de pez raya y otros más llegaron a Tikal desde Yucatán, el mar Caribe y el Océano Pacífico, mientras que la obsidiana, jade, plumas de

Economy

The Maya economy was based mainly on agriculture and trade, although the hunting of animals and the gathering of forest products were likewise important activities. Sociopolitical alliances undoubtedly increased the degree of interaction among the different polities, which favored the flow of commercial routes and the exchange of primary and luxury goods from different places.

Political alliances arranged through royal marriages were a means of securing and keeping the peace and, consequently, the operation of the commercial routes and the flow of goods from one place to another. Undoubtedly, trade was a fundamental activity and archaeological investigations have demonstrated that since early times popular goods and raw materials circulated through Tikal and other sites in other regions.

Goods such as salt, shells, snails, stingray spines and others came to Tikal from Yucatan, the Caribbean Sea, and the Pacific Ocean, while obsidian, jade, quetzal feathers, grinding stones and

quetzal, piedras de moler y demás artículos provinieron de las Tierras Altas de Guatemala. Tikal, por su parte, exportó pieles de jaguar, plumas de guacamaya y tucanes, cerámica polícroma y objetos de sílex, pero lo primordial fue la "exportación" de parafernalia ritual. La ciudad fue uno de los primeros centros en alcanzar un alto grado de complejidad política y religiosa, así como del control del tiempo y manejo del sistema calendárico y escritura, lo que fue aprovechado por sus gobernantes para "exportar" esta ideología hacia otras regiones y sitios menos desarrollados en la región periférica.

Rutas fluviales, marítimas y terrestres fueron empleadas por los comerciantes para llevar los productos de una región a otra, como por ejemplo los ríos Usumacinta-Pasión —considerados la mejor vía para distribuir productos en el Oeste del área Maya— mientras que al Este el comercio se realizó por las costas del mar Caribe.

other articles came from the Highlands of Guatemala.

Tikal exported jaguar hides, macaw and toucan feathers, polychrome pottery and silex objects, but their main export was ritualistic "paraphernalia". The city was one of the first to achieve a high level of political and religious complexity, excelling in the marking of time and in the handling of the calendrical and writing system. Its rulers took advantage of these achievements to "export" this credo to other less developed regions and sites.

River, sea and land routes were used by merchants to transport goods from one region to another. Examples of these routes are the Usumacinta-Pasion rivers, considered the best route to distribute goods to the West of the Maya world, whereas trade in the East passed through the shores of the Caribbean Sea.

Agricultura y Subsistencia

La agricultura Maya estuvo basada en el cultivo de milpa, a través del sistema de roza, tipo de agricultura extensiva que necesita grandes cantidades de terreno, debido a que por la poca productividad de los suelos las áreas de siembra deben ser cambiadas por lo menos cada cuatro años, pues la producción es buena al principio pero luego decae drásticamente. Con el aumento poblacional durante el Clásico Temprano y el Tardío en Tikal debieron sentirse presiones que obligaron a los dirigentes a buscar otras formas de cultivo generadoras de alto rendimiento. Métodos intensivos con uso de riego fueron entonces adoptados en este sitio, por medio de canales y campos elevados, relacionados con agricultura hidráulica. Sistemas similares han sido descubiertos en otros sitios mayas como Kaminaljuyu, Edzná, Cerros, la región Norte de Belice y otros.

En Tikal se incrementó el sistema de huertas, con cultivo de tubérculos, árboles frutales y ramón. Estudios agrícolas y de almacenamiento realizados en esta ciudad han demostrado el uso continuo de la nuez de ramón, de la cual puede elaborarse tortillas, una espesa sopa, atole y tortas dulces. Se ha comprobado

Agriculture and Subsistence

Maya agriculture was based on the harvest of maize or corn by slash and burn. This type of extensive agriculture requires an abundance of land, since the low productivity of the soil makes it necessary to change the planting grounds at least every four years.

In light of the population increase during the Early and Late Classic periods in Tikal, the rulers were pressed to find other types of high-yielding crops. Intensive methods which made use of irrigation were thus introduced in this site by means of canals and elevated grounds, related to hydraulic agriculture. Similar systems have also been discovered in other Maya sites such as Kaminaljuyu, Edzná, the northern part of Belize and others.

In Tikal the system of vegetable gardens was augmented by root crops, fruit trees and breadnut. Agricultural and storage studies undertaken in this city have demonstrated the continuous use of the breadnut which can be used to prepare *tortillas* (thin pancakes), a thick soup, *atole* (a thick, hot drink) and sweet pastries. Its dietary importance

su importancia para la dieta humana pues posee más proteínas y calorías que otros productos, así como también por su capacidad de preservación al ser almacenado por largo tiempo en *chultunes*, debido a que contiene sólo 6.5% de agua, algo que no sucede con el maíz y el frijol, que por retener mayor porcentaje de agua tienden a enmohecerse con mayor rapidez.

Se considera que el ramón fue un producto que tuvo amplia aceptación, junto con el maíz, frijol, calabaza, chile, camote, yuca, jícama y muchos más, lo cual permite visualizar que el medio ambiente de Tikal no fue tan hostil como se pensaba y que otros productos agrícolas debieron crecer en la región. Además de los artículos mencionados, la alimentación era complementada con carne de animales, pescado, recursos marinos, tubérculos, frutas locales y otros. Esta diversidad comprueba que existió una dieta variada, que junto con productos provenientes de sistemas agrícolas de cultivo intensivo y extensivo, enriquecieron los recursos alimenticios de la población de Tikal.

has been proven, as it contains more proteins and calories than other products. It also has a long preservation period when stored in *chultunes*, as it contains only 6.5% water, very unlike beans and corn, which tend to mold faster due to their higher content of water.

Breadnut was a widely accepted product, as well as maize, beans, pumpkin, chile, sweet potato, yucca, *jicama* and various medicinal and edible plants. These were widely consumed, which suggests that the environment at Tikal was not as hostile as it was once thought, and that other agricultural products must have been cultivated in the region as well.

The daily diet was supplemented with animal meat, fish, sea products, root crops, local fruits and other foods. This diverse diet together with products cultivated through both the intensive and extensive agricultural systems, enriched the subsistence of the Tikal population.

Cetro
Scepter

*Páginas anteriores: Visión
artística de Tikal
Previous spread: An artistic view
of Tikal*

Una pequeña historia de Tikal y las Tierras Bajas Mayas

Aunque no se conoce con exactitud desde cuándo se principió a utilizar el idioma Maya, las evidencias lingüísticas indican que ya se hablaba desde inicios del Período Preclásico. En este lapso Formativo comienza el desarrollo de los sistemas agrícolas, los poblados sedentarios y el surgimiento de piezas cerámicas; continúa con la propagación de habitantes por todo el territorio y termina con el fortalecimiento de los primeros grandes centros de dicha cultura.

Alrededor de los años 600 a 400 a. C., se inició en las Tierras Bajas la construcción de arquitectura pública y ceremonial de magnitud monumental, como el caso de Nakbé, mientras que para el 250 a. C., y los siglos posteriores, hasta el 250 d. C., muchos otros sitios como Tikal, El Mirador, Uaxactún, Cerros y Lamanai, entre otros, alcanzaron un elevado nivel y complejidad social, teniendo bajo su control político extensiones territoriales circundantes. En ese momento se diversifican las técnicas agrícolas, se construye los primeros palacios con techo abovedado, se erige los primeros monumentos esculpidos, sur-

A brief history of Tikal and the Maya Lowlands

Although there is no certainty as to when the Maya language was first used, linguistic evidence indicates that it was already spoken in the beginning of the Preclassic Period. This period begins with the development of agricultural systems, sedentism and pottery, continues with the dispersion of the inhabitants throughout the entire territory, and ends with the strengthening of the first major Maya sites.

Between the years 600-400 B. C., the construction of monumental public and ceremonial architecture was begun in the Lowlands, as was the case at Nakbe, while by the year 250 B. C. and until A. D. 250, many other sites such as Tikal, El Mirador, Uaxactún, Cerros and Lamanai, among others, achieved a high level of social complexity, exercising political control over surrounding territories. At this moment in time the agricultural techniques were diversified, the first palaces with vaulted roofs were built, the first inscribed monuments were erected, hieroglyphic inscriptions originated, architectural sculpture using

Palacios residenciales de la clase gobernante de Tikal. Acrópolis Central
Residentials palaces of the ruling class at Tikal. Central Acropolis

gen las inscripciones jeroglíficas, se inició la escultura-arquitectónica por medio de mascarones decoradores de la fachada de los edificios, aumentó el comercio de larga distancia y se incrementaron los rituales religiosos. Todos esos factores hicieron que el gobierno se consolidara en uno o varios linajes de clase dirigente, los que con el paso del tiempo dieron muestras de mayor centralización de poder en sus determinaciones y en la ejecución de sus obras.

Así, al comenzar el Período Clásico Temprano (300-550 d. C.) Tikal y Uaxactún fueron las ciudades más importantes de las Tierras Bajas, gracias a su poder político y económico. La centralización de poder iniciada en el período anterior se concretó durante este momento y los soberanos se atribuyeron cualidades divinas, haciéndose representar en las estelas a manera de dioses, llevando siempre glifos y símbolos iconográficos de su estatus sobrenatural. Se erigió templos adornados con mascarones y pintados con colores polícromos, se popularizó el uso del arco falso en la bóveda de los edificios y fueron incrementados los rituales de sangre y autosacrificio como parte del culto dedicado a los dioses. Apareció entonces el "Glifo Emblema" por vez inicial en

decorative masks in the façades of buildings was introduced, long distance trade routes were increased and religious rites were intensified.

All these factors resulted in the consolidation of the government through one or more lineages of the ruling elite, who gave indications of a greater centralization of power in their decision making and in the execution of their works.

Thus, at the beginning of the Early Classic Period (A. D. 300-550), Tikal and Uaxactún were the most important city-states of the Lowlands, due to their political and economic power.

The centralization of power begun in the preceding period was reinforced during this time. Rulers endowed themselves with more divine attributes, representing themselves as god-like in stelae, always bearing glyphs and iconographic symbols of their supernatural status. Temples embellished with masks and painted with polychrome colors were erected, the use of the false arch in the vault of buildings became fashionable, and blood rites and self-sacrifices were on the rise as part of the cult to the gods.

Tikal y posteriormente en sitios de sus alrededores.

El Clásico Tardío (550-900 d. C.) representa la época de mayor esplendor y monumentalidad en los centros mayas; se observa un desmesurado aumento en la población y por lo tanto también el surgimiento de nuevos sitios por doquier. La estratificación social se manifiesta a través de las ofrendas funerarias, el arte, las inscripciones glíficas y los monumentos esculpidos. Los edificios fueron construidos masivamente y con alturas cada vez mayores, los productos comerciables fueron intercambiados entre regiones lejanas mientras que la cerámica logró alcanzar un alto grado de decoración, con diseños que incluyen la policromía, escenas cortesanas e inscripciones jeroglíficas.

Sin embargo, problemas guerreros posiblemente derivados de luchas por la propiedad de la tierra dieron origen a enfrentamientos bélicos que minaron el sistema de alianzas y la paz regional. Ello conllevó un proceso de desintegración de los sistemas sociales y de las ligas comerciales. Este colapso político se evidencia en la región de Petexbatún con la caída de Dos Pilas en 761, en Copán alrededor del 822, en Tikal se

The "Emblem-Glyph" appeared in Tikal and was later adopted by other nearby sites, allegorically expressing the coat-of-arms of each city-state.

The Late Classic Period (A. D. 550-900) represents the era of greatest splendor and achievement in the Maya sites.

A drastic increase in population is observed, which consequently led to the establishment of new sites everywhere. Social stratification is evidenced through funerary offerings, art, glyph inscriptions and engraved monuments.

Buildings were constructed massively and with ever increasing heights, while goods such as pottery with designs which include polychrome depictions of court scenes and hieroglyphic inscriptions, were exchanged among remote regions.

Nevertheless, difficulties derived from conflicts over ownership of lands gave rise to armed confrontations, which undermined the system of political alliances and, consequently, the peace in the region. This resulted in the disintegration of the social systems and of the commercial bonds.

This political collapse ensued in the region of Petexbatun with the fall of Dos Pilas in 761, in Copán around the year

Templos I y II: corazón del mundo eterno de Tikal/Temples I and II: heart of Tikal's eternal world

erige la última estela en 869 y en Uaxactún en 889 d. C.

Con la llegada del colapso Maya Clásico muchos de los centros ceremoniales fueron abandonados por la clase dirigente, aunque pobladores campesinos continuaron viviendo en los alrededores, si bien no por mucho tiempo puesto que al faltar esa clase dirigente no hubo ya ningún guía espiritual ni organizativo que lograra centralizar órdenes e instrucciones para poder continuar el sistema de vida o la gloria de sus antepasados. Casi todos los centros Mayas estaban completamente despoblados para siempre entre los años 900 a 1000 d. C.

Chichén Itzá se irguió en el Posclásico Temprano como el gran centro rector de las Tierras Bajas del Norte, durante por lo menos dos siglos, hasta su caída alrededor del año 1200 d. C., cuando Mayapán al mando de la familia Cocom se convirtió en el principal centro de la península hasta 1441, fecha en que fue vencida por sus vecinos, nuevas investigaciones indican un elevado número de pobladores viviendo en los alrededores de los lagos, y se considera que la organización política y territorial era más complicada de lo que se suponía. La etnohistoria indica que fue dividido en cuatro provincias mayores, cada una dominada por un linaje principal, aunque Noh Petén sirvió como la cabecera de los cuatro linajes. Se ha logrado conocer nombres de provincias y se ha identificado a gobernantes y linajes, pero aún falta estudio de los sitios posclásicos de la región para comprender la dinámica de las poblaciones de este momento histórico, conquistadas hasta 1697, con la caída de Tayasal.

822. In Tikal the last stela was erected in 869 and in Uaxactún in A. D. 889.

With the collapse of the Maya Classic civilization many of the ceremonial centers were abandoned by the ruling elite. Farmers continued living in the vicinity, although not for long: without a ruling class there was no spiritual or administrative leader to carry on the social system and the glory of the forefathers. Most of the Maya centers were therefore completely deserted between the years A. D. 900 and A. D. 1000.

Chichen Itzá, however, rose in the Early Postclassic period as the dominant center of the North Lowlands, until its fall around the year A. D. 1200, when Mayapan, under the leadership of the Cocom family, became the main center of the peninsula until it was finally conquered by its neighbors in 1441. In the case of Petén, new investigations, however, indicate a high number of inhabitants living in the vicinity of the lakes, and the political and territorial organization of Petén is now considered to have been much more complex than previously thought. Ethnohistory indicates that Petén was divided into four major provinces, each one governed by a leading lineage, although Noh Petén served as the capital city for the four lineages.

The names of the provinces have also been identified, as well as the names of the rulers and lineages, but more studies of the Postclassic sites of this region are still needed to better understand the driving force behind these centers which were not conquered until 1697, with the fall of Tayasal.

169

La historia de las Tierras Bajas es larga y compleja, pero gracias a los trabajos arqueológicos e interpretaciones epigráficas se sabe que Tikal fue una ciudad respetada y admirada por su grandeza y monumentalidad a través de los siglos. Al igual que en otras culturas del mundo, este centro sufrió altibajos en su historia sociopolítica, pero con la llegada al poder de verdaderos estadistas Tikal logró sobreponerse de epocas sombrías y alcanzar tal grandeza e importancia que se convirtió en el verdadero corazón de la civilización Maya.

Así, se transformó en una urbe cosmopolita de 90 000 habitantes que se veían reflejados en la gloria y esplendor de sus majestuosos gobernantes, en los avances vanguardistas de arquitectura monumental y en la unión de las ciencias y las artes como un medio para demostrar la complejidad ideológica de la ciudad.

Por todo esto Tikal nunca pudo ser olvidada y a través de los siglos ha seguido siendo considerada como una ciudad sagrada, que atrae a propios y extraños con la fuerza de un enigmático imán.—

The history of the Maya Lowlands is a long and complex one, but thanks to archaeological research and epigraphic interpretations, we know that for centuries Tikal was greatly respected and admired for its grandeur.

In its sociopolitical history this center, like other civilizations, waxed and waned, but with the arrival of power wielded by true statesmen Tikal managed to overcome its dark periods and reached the highest levels of importance which made it the core of Maya Civilization.

It became a cosmopolitan city of 90 000 inhabitants who basked in the glory and splendor of its outstanding rulers, in its monumental architecture and in the merging of the sciences and arts as a means of portraying the ideological complexity of the city.

For this, Tikal is not forgotten.

In the course of the centuries it has been considered a sacred city, attracting locals and foreigners alike with the power of an irresistible magnet.—

Coe, William. TIKAL: GUIA DE LAS ANTIGUAS RUINAS MAYAS. The University Museum, University of Pennsylvania, Philadelphia, 1988.

Culbert, Patrick. "Polities in the Northeast Peten, Guatemala". CLASSIC MAYA POLITICAL HISTORY: HIEROGLYPHIC AND ARCHAEOLOGICAL EVIDENCE. Cambridge University Press, Ed. P. Culbert, 1991, pp. 128-146.

Culbert, Patrick, Laura Kosakowsky, Robert Fry and William Haviland. "The population of Tikal, Guatemala". PRECOLUMBIAN POPULATION HISTORY IN THE MAYA LOWLANDS. University of New Mexico Press, Albuquerque, Ed. P. Culbert y D. Rice. 1990, pp. 103-121.

Dahlin, Bruce. "Los Rostros del Tiempo: Un movimiento revitalizador en Tikal durante el Período Clásico Tardío", MESOAMERICA, Guatemala, Ed. CIRMA, 1986, N°. 11, pp. 79-112.

Escobedo, Héctor. "Il Grande Centro Monumentale di Tikal". CENTRO AMERICA: TESORI d'ARTE DELLE CIVILTA PRECOLOMBIANE, Italia, Ed. Gruppo Fabbri, 1992, pp. 113-117.

Fahsen, Federico. "Algunos Apuntes Sobre el Texto de la Estela 31 de Tikal". MESOAMERICA, Guatemala, Ed. CIRMA, 1986, N°. 11, pp. 135-154.

Fahsen, Federico y Linda Schele. "Curl-Snout under scrutiny, again". TEXAS NOTES ON PRECOLUMBIAN ART, WRITING AND CULTURE, Austin, Texas, 1991, N°. 13, pp. 1-6.

Haviland William. "From Double Bird to Ah Cacao: Dynastic Troubles and the Cycle of Katuns at Tikal, Guatemala". NEW THEORIES ON THE ANCIENT MAYA, University Museum, University of Pennsylvania, Philadelphia, Ed. E. Danien y R. Sharer, 1992, Monograph 77, pp. 71-80.

Laporte, Juan Pedro. ALTERNATIVAS DEL CLASICO TEMPRANO EN LA RELACION TIKAL-TEOTIHUACAN: GRUPO 6C-XVI, TIKAL, PETEN, Guatemala. Tesis Doctoral, Universidad Nacional Autónoma de México, 1989.

Laporte, Juan Pedro y Vilma Fialko. "New Perspectives on Old Problems: Dynastic References for the Early Classic at Tikal". VISION AND REVISION IN MAYA STUDIES, University of New Mexico Press, Albuquerque, Ed. F. Clancy y P. Harrison, 1990, pp. 33-66.

Mathews, Peter. "Maya Early Classic Monuments and Inscriptions". A CONSIDERATION OF THE EARLY CLASSIC PERIOD IN THE MAYA LOWLANDS, Institute for Mesoamerican Studies, Ed. G. Willey y P. Mathews, Albany, 1985, Pub.10, pp. 5-54.

Miller, Arthur. LOS SOBERANOS MAYAS DEL TIEMPO: UN ESTUDIO DE LA ESCULTURA ARQUITECTONICA DE TIKAL, GUATEMALA, The University Museum, University of Pennsylvania, Philadelphia, 1986.

Miller, Mary Ellen. "The image of people and nature in Classic Maya Art and Architecture". THE ANCIENT AMERICAS: ART FROM SACRED LANDSCAPES, The Art Institute of Chicago, Ed. R. Townsend, 1992, pp. 159-169.

Rice, Don, Prudence Rice y Grant Jones. LA GEOGRAFIA POLITICA DEL SIGLO XVI EN EL CENTRO DEL PETEN EN GUATEMALA: UN INFORME SOBRE LA ARQUEOLOGIA Y ETNOHISTORIA DE LAS CAPITALES MAYAS. Inédito, Southern Illinois University and Davidson College, 1992.

Schele, Linda. NOTEBOOK FOR THE XIVth. MAYA HIEROGLYPHIC WORKSHOP AT TEXAS, The University of Texas, Austin, 1990.

Schele, Linda y David Freidel. A FOREST OF KINGS: THE UNTOLD STORY OF THE ANCIENT MAYA, New York, William Morrow, 1990.

Schele, Linda y Mary Ellen Miller. THE BLOD OF KINGS: DYNASTY AND RITUAL IN MAYA ART, Forth Worth, Kimbell Art Museum, 1986.

Valdés, Juan Antonio, ETUDE DE GROUPES D'HABITATIONS DU CENTRE CEREMONIAL MAYA DU "MUNDO PERDIDO", TIKAL, GUATEMALA, Francia, Tesis Doctoral, Université de París I-Sorbonne, 1983.

Valdés, Juan Antonio. "Los Mascarones del Grupo 6C-XVI de Tikal: Análisis Iconográfico para el Clásico Temprano". ESTUDIOS DE CULTURA MAYA, México, Centro de Estudios Mayas, UNAM, 1991, 233-262.

Valdés, Juan Antonio. "El Crecimiento de la Civilización Maya del Area Central durante el Preclásico Tardío: Una vista desde el Grupo H de Uaxactún". U TZ'IB, Guatemala, Ed. Asociación Tikal, 1992, vol.1, N°. 2, pp. 16-31.

Valdés, Juan Antonio. "The beginnings of Preclassic Maya Art and Architecture". THE ANCIENT AMERICAS: ART FROM SACRED LANDSCAPES, The Art Institute of Chicago, Ed. R. Townsend, 1992, pp. 147-158.

RICARDO AGURCIA FASQUELLE

Hondureño. Maestro en Artes por Tulane University (EUA). Ha participado en proyectos de excavación arqueológica en los valles de Comayagua y de Sula (Honduras), Guanacaste y Alajuela (Costa Rica) y particularmente en Copán, tanto como investigador de campo y Subdirector de proyecto, así como Codirector del Proyecto Arqueológico Acrópolis de Copán (1989-1994). Además de docente universitario ha sido Director del Centro de Investigaciones Arqueológicas —CINAR— de la Universidad Privada de San Pedro Sula, Director Técnico del Museo Regional de la misma ciudad, Director Honorario de la Asociación Hondureña de Ecología y Gerente General del Instituto Hondureño de Antropología e Historia —IHAH—. Es Socio Fundador de la Asociación de Estudios Precolombinos Copán.

Su labor profesional ha sido reconocida internacionalmente. Ha sido Consejero de la Fundación Arqueológica del Caribe, participante en la Consulta Informal de Expertos sobre Preservación del Patrimonio Cultural del Gran Caribe (Santo Domingo, R. D.) convocada por UNESCO, ponente en la Reunión de Expertos sobre Delitos contra el Patrimonio Cultural Arqueológico de América Latina (San José, C. R.) patrocinado por ILANUD, representante en el Proyecto Regional Mundo Maya, coordinador de simposia en el 47° Congreso Internacional de Americanistas, comentarista en el Simposio de las Américas, del Instituto Smithsoniano, y conferencista en las Universidades de Cornell, California, Duke, Emory, Internacional de la Florida, Pennsylvania, Tulane y Texas. Ha sido becario del International Visitors Grant (EUA) y del Programa Actualidad del Japón. En 1992 le fue otorgada Medalla de Honor durante el XI Recital de Otoño realizado en San Pedro Sula, y en 1994 el Presidente de Honduras lo condecoró con la Medalla de la Orden "José Cecilio del Valle".

Sus numerosos ensayos y publicaciones han aparecido en revistas y libros como **Yaxkin, ILANUD, Mesoamérica, *Southeast Maya Periphery* y *National Geographic Magazine*. Es coautor de **HISTORIA ESCRITA EN PIEDRA: GUIA AL PARQUE ARQUEOLOGICO DE LAS RUINAS DE COPAN** (*HISTORY CARVED IN STONE*, versión en Inglés). En 1994 publicó su primera obra de literatura infantil sobre el mundo Maya: **LA PRINCESITA**.

Honduran. Master of Arts, Tulane University (USA). Has participated in archaeological excavations projects in the Comayagua and Sula Valleys (Honduras), in Guanacaste and Alajuela (Costa Rica) and particularly in Copán, both in his capacity as field investigator and Sub-Director of the Project, and Co-Director of the Copán Acropolis Archaeological Project (1989-1994). Asides from being a University Professor, he has been Director of the Center for Archaeological Investigations —CINAR— of the Private University of San Pedro Sula, Technical Director of the Regional Museum of San Pedro Sula, Honorary Director of the Honduran Ecological Association and General Manager of the Honduran Institute of Anthropology and History —IHAH—. He is also a founding member of the Copán Association for Pre-Columbian Studies.

JUAN
ANTONIO
VALDES

Guatemalteco. Doctor en Arqueología por la Universidad de La Sorbona, París (1983), siendo el primer latinoamericano en lograr este grado académico en dicha universidad. Con anterioridad obtuvo el título de Licenciado en Arqueología en la Universidad de San Carlos de Guatemala.

Es especialista en arquitectura de la civilización Maya y ha realizado excavaciones en Copán, Tikal, Waxaktun, Petexbatun, Dos Pilas y Tamarindito; en sitios del Altiplano de Guatemala en la región del Quiché, en la ribera del lago Izabal y en proyectos de arqueología colonial en la ciudad de Antigua Guatemala.

Ha sido Director del Proyecto Waxaktun y en la actualidad es Co-Director del Proyecto Arqueológico Petexbatún, así como Director de la Carrera de Arqueología en la Universidad de San Carlos de Guatemala y Consultor Arqueológico del Parque Nacional Tikal.

Ha desarrollado su carrera docente a través de cursos y seminarios en las Universidades de San Carlos de Guatemala, Universidad del Valle de Guatemala y Universidad Nacional Autónoma de México. Ha sido invitado a pronunciar conferencias en destacadas instituciones educativas, tales como las Universidades de Berkeley en California, Texas (Austin), Art Institute of Chicago —todas ellas en EUA—, UNAM (México), el Pelizaeus-Museum (Alemania) y diversos centros en Guatemala.

Ha participado en numerosos congresos y seminarios en Europa, Estados Unidos de América, México y naciones de Centroamérica. Ha escrito más de ochenta artículos científicos sobre temas arqueológicos enfocados en la cultura Maya, aparecidos en publicaciones como *Die Welt der Maya*, *The Ancient Americas: Art From Sacred Landscapes*, **Mexicon**, **Estudios**, **Apuntes Arqueológicos** y en varios libros de los Simposios de Arqueología Guatemalteca.

Es coautor de dos libros: **OBRAS MAESTRAS DEL MUSEO DE TIKAL**, y, **TIKAL Y WAXACTUN EN EL PRECLASICO: INVESTIGACIONES EN EL AREA MAYA CENTRAL** .

Guatemalan. The first Latin American to graduate from the University of La Sorbonne in Paris (1983) with a Doctorate in Archaeology. Prior to that he graduated a Bachelor of Arts in Archaeology, University of San Carlos de Guatemala.

He specializes in the architecture of the Maya civilization, and has undertaken excavations in Copán, Tikal, Uaxactún, Petexbatun, Dos Pilas and Tamarinditos, sites in the Guatemalan Highlands in the Quiché, along the banks of the Izabal lake and in the colonial archaeological projects in the city of Antigua Guatemala.

He has been Director of the Uaxactún Project and at present is Co-Director of the Petexbatun Archaeological Project, as well as Director of the Faculty of Archaeology at the University of San Carlos de Guatemala and Advisor of the Tikal National Park.

His career as university Professor has advanced through courses and seminars at the University of San Carlos de Guatemala, Universidad del Valle de Guatemala and the National Autonomous University of Mexico. He has been introduced as the main speaker in prestigious educational centers such as ➡

AGURCIA...

His professional contributions are recognized internationally. He has been Advisor to the Caribbean Archaeological Foundation; a participant at the Informal Consultations of Experts on the Conservation of the Cultural Heritage of the Caribbean (Santo Domingo, Dominican Republic) convened by UNESCO; he submitted a paper before the Meeting of Experts on Crimes against the Archaeological Cultural Heritage of Latin America (San José, Costa Rica) sponsored by ILANUD; he was the representative for Honduras at the Regional Maya World Project, coordinator of a simposium at the forty-seventh International Congress of Americanists, commentator in the Simposium of the Americas of the Smithsonian Institute, and speaker at the Universities of Cornell, California, Duke, Emory, Florida International, Pennsylvania, Tulane and Texas. He was a recipient of a scholarship from both the International Visitors Grant (USA) and the Actuality Program of Japan. He was awarded the Medal of Honor in 1992 during the XI Autumn Recital which took place in San Pedro Sula. Most recently, in 1994 the President of Honduras honored him with the "José Cecilio del Valle" Medal.

His various essays and publications have appeared in magazines and books, such as *Yaxkin*, **ILANUD**, *Mesoamérica*, **Southeast Maya Periphery** and the **National Geographic Magazine**. He is coauthor of *HISTORIA ESCRITA EN PIEDRA: GUIA AL PARQUE ARQUEOLOGICO DE LAS RUINAS DE COPAN* (**HISTORY CARVED IN STONE**, English version). In 1994 he published his first piece of literature for children on the Maya world: *LA PRINCESITA*.

VALDES...

the universities of Berkeley in California, Texas (Austin), The Art Institute of Chicago —all in the United States—, UNAM (Mexico) and the Pelizaeus-Museum (Germany).

He has participated in numerous conferences and seminars in Europe, the United States, Mexico and in the Central American countries. He has written more than eighty scientific articles related to archaeology, with emphasis on the Maya culture, which have appeared in publications such as *Die Welt der Maya*, **The Ancient Americas: Art from Sacred Landscapes**, *Estudios, Apuntes Arqueológicos* and in various reports on Simposia on Guatemalan Archaeology.

He is coauthor of two books: *OBRAS MAESTRAS DEL MUSEO DE TIKAL*, and *TIKAL Y UAXACTÚN EN EL PRECLASICO: INVESTIGACIONES EN EL AREA MAYA CENTRAL.*

DAVID W. BEYL. Becario Fulbright, obtuvo su Doctorado en Lingüística Computacional en la Universidad de Georgetown. Originario de Oregón (EUA) realizó estudios en las Universidades de Lisboa (Portugal) y de Sophia (Tokio, Japón). Antes de dedicarse a los negocios fue Profesor Asistente en la Universidad de Maryland. Reside en Reston, Virginia (EUA), donde labora como ejecutivo de una importante empresa local.

HAROLD SCHWANK. Realizó estudios de fotografía en Pemberton County College, New Jersey (EUA), entre 1980 y 1982; cursos libres de fotografía en Guatemala y estudios de Periodismo en la Universidad "Rafael Landívar". Ha sido catedrático de fotografía, dedicado gran parte de su tiempo a la macrofotografía de la naturaleza y fue ganador de Mención Honorífica en la Bienal de Arte Paiz 1988, en categoría blanco y negro. Reside actualmente en Guatemala.

TRADUCCION: Gisella Camoriano. Lic., en Psicología por la UNAH. Labora actualmente con el PNUD-Honduras. Diestra en español, inglés, francés e italiano.

DAVID W. BEYL. Fulbright scholar, with a Doctorate in Computer Linguistics from the University of Georgetown. Born in Oregon (USA), he studied at the University of Lisbon (Portugal) and Sophia (Tokyo, Japan). Before turning to business, he was Assistant Professor at the University of Maryland. At present he lives in Reston, Virginia (USA), where he works as an executive for an important local company.

HAROLD SCHWANK. He undertook photography studies in Pemberton County College, New Jersey (USA), from 1980-1982. He also took free courses in photography in Guatemala and courses in journalism at the Rafael Landivar University. He has been a Professor of photography, dedicating a great amount of his time to nature macrophotography. He was given an Honorific Award at the Paiz Art Biennial in 1988, in the black and white category. He is presently living in Guatemala.

TRANSLATION: Gisella Camoriano, Major in Psychology from the University of Honduras. At present she works with UNDP-Honduras. Ability to translate in Spanish, English, French and Italian.

Créditos/Credits

© Portada/Cover illustration: Arturo López Rodezno, grabado/gravure. Colección/Collection Banco Atlántida S. A.

© Fotografías de Copán por/Copán photography by David W. Beyl, excepto lo siguiente/except: Herbert J. Spinden. **A STUDY OF MAYA ART** , Dover, N. Y., 1975 (pp. 10, 51, 53, 55, 68); Barbara Fash (pp. 15, 16, 31, 89); Kenneth Garret (pp. 23, 74, 77, 82); Ricardo Agurcia Fasquelle (pp. 25, 27, 54); Eleanor H. Coates (pp. 60, 61); José H. Espinoza (pp. 28, 29, 76, 80); National Geographic Society (pp. 50, 56, 72, 73); Justin Kerr (pp. 67, 75).

© Fotografías de Tikal por/Tikal photography by Harold Schwank, excepto lo siguiente/except: Fernando Luin, basado en/based on Jones y/and Satterthwaite (pp. 93); Juan Antonio Valdés (pp. 95, 98, 113, 115 abajo/bottom, 135, 146); Laporte y Fialko (pp. 103, 104); Jean P. Courau, basado en/based on Gustavo Valenzuela y/and Alfredo Canel (pp. 108); Herbert J. Spinden. **A STUDY OF MAYA ART** , Dover, N. Y., 1975 (pp. 124, 140, 141, 150, 156, 157, 163, 164, 167); Flor Alvergue (p. 159); Roberto Ríos del Cid (pp. 164-165).

Los autores desean expresar su agradecimiento al Instituto Hondure-ño de Antropología e Historia —IHAH— y al Instituto de Antropología e Historia de Guatemala.

The authors wish to express their gratitude to the Honduran Institute of Anthropology and History —IHAH— and to the Guatemalan Institute of Anthropology and History.

Ricardo Agurcia Fasquelle   **Juan Antonio Valdés**